DU MÊME AUTEUR

Aux Éditions Gallimard

Romans-récits

CAPRI PETITE ÎLE.
L'HOMME DU ROI.
BERGÈRE LÉGÈRE.
CHAIR ET CUIR.
CHASSENEUIL.
LES ÉLANS DU CŒUR.
LES BELLES NATURES.
CREEZY.
LE CORPS DE MON ENNEMI.
APPELEZ-MOI MADEMOISELLE.
LES PASSIONS PARTAGÉES.
UN OISEAU DANS LE CIEL.

Mémoires

LES ANNÉES COURTES.

Théâtre

L'ŒUF.
LA BONNE SOUPE.
LES CAILLOUX.
THÉÂTRE.

I. Caterina – La bonne Soupe – La Preuve par quatre.
II. L'Œuf – L'Étouffe-chrétien – La Mort de Néron – Madame Princesse.

Suite de la bibliographie en fin de volume

LES INGÉNUS

FÉLICIEN MARCEAU

de l'Académie française

LES INGÉNUS

nouvelles

GALLIMARD

Il a été tiré de l'édition originale de cet ouvrage trente et un exemplaires sur vélin pur chiffon de Rives Arjomari-Prioux numérotés de 1 *à* 31.

Elle (la femme)

– Non, je te jure! dit-elle.

Sa voix d'enfant. Cette voix de petite fille dans ce grand corps, dans ce grand visage. Cette voix bête. Cette voix niaise. Face à la mer, sa voix était comme une offense.

Nous étions assis sur un banc de ciment. A côté d'elle, son transistor, minuscule, noir à filets dorés. Fermé, heureusement. Cela avait été mon premier soin. Un geste pour lui caresser la main et hop! dans le prolongement, le transistor tari. Il faut avoir quelques principes fermes. Ils vous aident à tenir debout. Un des miens est de ne jamais passer à côté d'un transistor sans injurier son propriétaire. Elle, je m'y apprêtais. Elle montait le sentier qui était en dessous de moi, un sentier raide, en lacet, bordé d'agaves, de lentisques. D'au-dessus, comme j'étais, je ne voyais pas son visage. Je m'étais arrêté là, un moment, pour regarder la mer. Elle était, ce jour-là, parfaitement plate, unie, à peine quelques frissons et, au large, de longues traînées lisses et brillantes. Comme une glu, cette mer. Ou comme une gangue. Les rochers avaient l'air de s'y être pris les pattes – ou de n'être que posés dessus, comme sur un miroir. Elle (la femme) continuait à monter entre les agaves, sa musique autour d'elle. Sa musique bête. Comme une cuillère qu'on aurait tournée dans le paysage. Ces transistors, on dirait qu'ils ont des programmes à eux, qu'on n'entend nulle part ailleurs. Un moment, dans le dernier tournant, je l'ai vue de dos. Elle était en vert. Chemisier et pantalon. Vert tilleul. Le chemisier avec des dessins, le pantalon uni. Puis elle est arrivée à ma hauteur. Je me suis retourné. Les deux coudes derrière moi, sur le mur bas, j'allais m'en prendre à son transistor lorsque, brusquement, quelque chose comme une idée, comme un souvenir m'a effleuré. Elle s'est arrêtée. Elle a retiré ses lunettes noires – une monture incroyable, en forme d'ailes de papillon. Elle a souri. J'ai reconnu ses deux dents de devant, très écartées. Au moment où j'allais dire : c'est toi...

– C'est toi? a-t-elle dit.

A la voir, avec son grand visage, ses épaules larges, on se serait attendu à une belle voix de gorge, ou alors la voix rauque de la chanteuse réaliste. Puis sortait ce mince filet, qui avait l'air de dire : oh, je vais appeler mon papa. « C'est toi? » Elle l'avait dit en hésitant mais sans étonnement. Je cherchais son prénom. Je ne le retrouvais pas. Alors j'ai caressé sa main (et hop, le transistor). Je l'ai emmenée près de ce banc. Un banc de ciment, grenu, râpeux, mis là pour les touristes, en raison de la vue. Nous nous sommes assis et là, immédiatement, elle s'est mise à parler. A me parler comme si nous nous étions quittés la veille ou comme si elle parlait toute seule. Je ne l'écoutais qu'à moitié. La mer, le soleil, je venais de nager pendant deux heures, j'avais la tête vide.

– Non, dit-elle. Je n'appelle pas ça vivre.

Je voulais ici ne parler que d'elle. Pour la clarté de mon récit, je vois bien qu'il me faut dire aussi un mot de moi. J'y étais déjà venu dans cette île mais il y avait quoi? Vingt ans? Ou plus encore? L'avant-veille de mon départ, pour rendre les politesses dont j'avais été l'objet, j'avais invité quelques personnes à dîner, dans un restaurant. Un restaurant dit pittoresque, dans une ruelle voûtée, les murs passés à la chaux, des filets de pêche, des paniers à langoustes, le tout sous un éclairage au néon, funèbre. Il n'y avait que peu de clients. (Enfin, il me semble. Dans mon souvenir, je vois une longue salle où trois tables tanguaient comme des épaves.) Il y avait bien un guitariste. L'œil éteint, la joue creuse, une mèche à l'artiste mais charbonneuse, il avait l'air de porter sa guitare en terre. A une autre de ces tables, il y avait une femme, avec deux hommes. Rousse, d'un roux éclatant, et un chemisier rouge qui, lui aussi, se voyait. La joue sur la main, le coude sur la table, elle écoutait ce que se racontaient les deux hommes. Puis, par-dessus sa main, paresseusement, son regard a fait le tour de la salle. Il s'est arrêté sur moi. Je la regardais aussi. Un moment, nous avons été seuls. Seuls au monde. Seuls dans notre île. Puis ma voisine m'a dit quelque chose. J'ai dû répondre. Le guitariste s'est mis à chanter : l'amour est un bouquet de violettes. A en juger par son expression, ces violettes n'arrangeaient rien. Les deux hommes étaient quelconques, plus très jeunes. L'un avait une tête de rat, l'autre un beau profil romain, mais le regard désert, comme un buste. Et il tenait sa tête comme un buste aussi, très droite. C'était l'homme à tête de rat qui parlait. L'autre, visiblement, se donnait un mal fou pour avoir l'air de comprendre, de partager le point de vue, hochant la tête, plissant le nez, battant des paupières. Le guitariste arrivait au bout de ses violettes. Il a pris une assiette. La femme en rouge s'est levée.

– Donne. C'est moi qui vais faire la quête.

Et, d'une seconde à l'autre, tout s'est mis à vivre. Elle avançait : la vie avançait avec elle. Ses cheveux roux. Son pantalon qui était rouge aussi, comme le chemisier, avec une large ceinture noire qui portait, en clous de cuivre, son prénom – ce prénom que, maintenant, de loin, je n'arrivais plus à déchiffrer. Ce rouge, ce noir, ces clous de cuivre, tout cela n'était pas d'un goût très sûr mais, comprenez-vous cela, elle était vivante.

– Pour la musique...

De sa voix d'enfant. Dans ce restaurant où tout avait l'air d'avoir été rassemblé au hasard, les murs, les gens, les paniers à langoustes, brusquement on eût dit que les choses et les gens enfin s'ordonnaient, prenaient un sens. La vie. La vie passait entre les tables. Le guitariste avait repris ses violettes mais sur un rythme plus vif et comme si, d'un moment à l'autre, ces violettes, c'était devenu quelque chose de merveilleux. Et elle avançait en dansant mais à moitié, les mouvements à peine esquissés, comme un élan mais coupé, contenu, comme une danse à l'intérieur d'elle-même et dont n'apparaissait que le frémissement. Elle avait commencé par une autre table. L'homme devait n'avoir préparé qu'une pièce. Devant cette grande fille, il se troublait, cherchait dans ses poches. Sa femme désapprouvait, détournait la tête. Puis elle est venue vers nous. Toujours en dansant à moitié, comme bercée plutôt, un genou plié, une main tenant l'assiette, l'autre bras à demi levé.

– Pour la musique...

Je la regardais. Et son regard s'est ouvert. Il y a sur les regards comme une couche brillante et dure, comme un mica, qui parfois se fêle, le regard cède, le regard s'ouvre et on sait que ça va, que c'est d'accord, un ange passe, monte le doux chant des noces. J'ai tendu un billet. Elle a touché sa nuque, sous ses cheveux roux. Et son sourire, lentement, a disparu. Puis, d'un mouvement vif, elle s'est retournée, elle est repartie. Ma voisine m'a regardé et elle a dit :

– Eh bien!

J'ai dit ce que disent les hommes dans ces cas-là :

– Elle a un type, vous ne trouvez pas?

Ma voisine était une habituée de l'île. Je me suis risqué :

– Qui est-ce?

Ma voisine a pris de la hauteur.

– Comment voulez-vous que je le sache?

Puis, dans un bel élan d'humanité :

– Une poule, vraisemblablement.

Le lendemain, il m'a suffi de trois minutes de conversation avec un des garçons d'un des cafés de la place : il m'a dit où elle habitait. J'ai pris une ruelle voûtée puis une autre qui montait et enfin un chemin entre les vignes. La chaleur était extravagante. Le soleil me dégringolait dessus comme une volée de pierres. Je portais un calot blanc, de marin américain. A gauche, puis à droite, la troisième maison. Le garçon de café m'avait bien expliqué, avec des torsions de paume et de poignet. Serait-elle seule? A toutes fins utiles, je m'étais préparé un prétexte. J'étais censé chercher un certain Esposito. Un maçon. J'arrivais. C'était une maison basse, nulle mais fraîche, précédée d'un court jardin. Devant, dans le chemin, deux petites filles et un petit garçon jouaient à se poursuivre, la paume levée, avec des gestes raides. Dans le désir, il y a presque toujours un moment de gravité, un silence, un blanc où l'on sent que les choses pourraient encore ne pas être et qu'elles vont être pourtant, glisser lentement et basculer. Pour moi, dans cette circonstance, le moment de recueillement, cela a été ces trois enfants. Qui me regardaient, immobiles, comme s'ils réfléchissaient à ma place. Moi, je ne réfléchissais pas. Le petit garçon était devant la barrière. Je l'ai pris par l'épaule et je lui ai dit :

– Alors, tu me laisses passer?

Il s'est écarté mais comme à regret, l'air de me désapprouver. A l'autre bout du jardin, la porte s'était ouverte. La femme était là. En rouge comme la veille mais un autre modèle, une marinière, d'un rouge moins vif. Elle était seule. Il y avait là une pièce dans la pénombre, comme immergée, les persiennes baissées, des rais de soleil partout. Sur le grand lit bas, son visage au-dessus du mien, la joue sur la main, comme la veille dans le restaurant, ce qui lui tirait l'œil, lui déformait la bouche, elle suivait du doigt sur ma poitrine les raies d'ombre. Nous avons un peu parlé. Très peu. Ma peau sur sa peau : il n'y avait rien à dire. Une fête mais rapide, les vraies fêtes, les plus pures, qui n'entrait, nous le savions bien, ni dans sa vie ni dans la mienne, une bouffée d'air, un geste libre, sans suite, sans lendemain, une fête volée, une fête dérobée, aussitôt enfouie sous la terre, comme un trésor mais dont on n'a pas l'emploi, une petite lumière, déjà souvenir, déjà entrée dans le passé avant même d'avoir cessé d'être du présent.

– Tu reviendras?

– Non. Je pars demain. Pour Paris.

– Ah, Paris...

Puis, moi :

– Tu vis seule?

– Non. Il a pris le bateau ce matin. Il m'a installée ici. Il vient de temps en temps.

– Lequel était-ce hier?

C'était l'homme à la tête de rat.

Rien pourtant n'est jamais tout à fait pur. Au moment de nous quitter, elle m'a dit :

– Tu penseras parfois à moi?

J'ai dit oui.

Chose étrange : de n'avoir plus jamais pensé à elle, il me semblait maintenant que cela avait gardé à mon souvenir toute sa fraîcheur. Je revoyais, je revoyais tout, et net, lisse, brillant, le restaurant, la maison, les enfants, la pénombre rayée. Mais, en même temps, tout cela je ne le revoyais que par éclairs, par saccades, comme sous les à-coups d'un projecteur, comme si quelqu'un voulait m'en empêcher, comme un prénom qui vous échappe (et le sien que je ne retrouvais toujours pas). Un moment, je me rappelle, elle s'est levée, elle a tiré les persiennes d'une des fenêtres et, au-delà d'elle qui était nue, sous un soleil sauvage, j'ai vu une colline couverte de cactus. Des cactus énormes, hérissés, menaçants, serrés les uns contre les autres, comme un mur, comme une armée barbare. Et là, maintenant, près de moi, c'était comme si elle s'était cachée derrière ces cactus. Elle courait, elle fuyait entre les cactus. Ils lui déchiraient son chemisier rouge, j'en apercevais les lambeaux mais, derrière ces lambeaux, le corps m'échappait, je le voyais, je ne le voyais plus, ce grand corps devant la fenêtre, ce grand corps foncé avec les deux bandes blanches qu'imposait encore la pudeur aux bains de soleil et qui sont comme une obscénité dernière. Et c'était cette femme à côté de moi qui brouillait tout. Cette femme épaisse, cette dame, cette matrone en pantalon vert. De sa grande main, elle rayait ma grande fille. Son visage m'empêchait de retrouver l'autre, le gommait, le déformait. Il y avait ses cheveux. Ses cheveux roux. Elle devait y mettre une laque. Ses boucles étaient raides et sèches comme des copeaux. Il n'y avait plus de cheveux roux. Il y avait des cheveux gris. Non, il est vrai, le gris de l'âge. Un gris d'acier, un gris voulu, un gris de coiffeur. Mais gris! Il y avait ce regard. Ce regard qui s'était ouvert. Il n'y avait plus de regard. Ou plutôt, dans ce regard, il n'y avait plus rien. Deux yeux. Deux fenêtres. Mais ouvertes sur rien. L'autre, elle était vivante. Dans la pénombre rayée (un moment, couchée le long de moi, elle a pris ma main et l'a serrée si fort), dans le restaurant, le genou avancé, le bras à demi plié, l'amour est un bouquet de violettes! Je t'en foutrai, des violettes! Il n'y a jamais eu de violettes! Cette femme à côté de moi, elle n'était plus vivante. Je vais vous dire : j'avais l'impression d'errer dans une maison abandonnée. Restait la voix. Sa voix d'enfant. Sa voix niaise. Il me semblait qu'elle m'appelait mais sans même savoir qui elle appelait et de très loin, de derrière un autre corps, de derrière ses foutus cactus.

– Pense! dit-elle. Je ne sais même pas comment il s'appelle.

– Qui?

– Mon bonhomme.

Quelque chose dans ses propos avait dû m'échapper. J'essayai de me rattraper.

– C'est toujours le même?

– Toujours.

Elle l'avait dit comme si cela avait été de soi. La même île. Le même bonhomme. Le temps, un énorme pan de temps avait tourné. Pour elle, en vain.

– Qu'est-ce que tu veux dire, que tu ne sais même pas comment il s'appelle?

– Non, je ne sais pas.

– Et quand tu lui parles?

– Quand je lui parle, je l'appelle Bimbo.

Bimbo? Bimbo veut dire enfant. Cet homme qui devait bien avoir maintenant soixante ans...

– Mais je ne sais pas son nom.

– Depuis vingt ans que tu le connais?

– Oui, depuis vingt ans.

– Mais enfin quand tu l'as rencontré? Il n'est pas sorti du néant.

– Si, dit-elle. Presque. Un jour, je l'ai vu dans la rue, devant la vitrine. J'étais vendeuse. Chez Ranieri. A Rome, tu sais...

Non, je ne savais pas. Aucune importance.

– Il est revenu plusieurs fois. Il me regardait derrière la vitre. Les autres qui commençaient à me blaguer. Un jour, il est entré. Il a acheté des balles de golf...

– Il joue au golf?

– Penses-tu! C'était pour me parler. Il a dû se dire que les balles de golf, c'était ce qu'il y avait de moins cher. Puis, un autre jour, il m'a attendue. Il m'a emmenée dans un café. Il m'a dit qu'il voulait m'installer ici, que je ne manquerais de rien. J'ai accepté, tu penses. Vendeuse, tu sais. Debout toute la journée. Il m'a dit : vous n'avez pas besoin de savoir mon nom. Bon, il se méfiait, je trouvais ça encore assez naturel. Tu sais, il y a de mauvaises femmes. Mais je pensais que ce serait l'affaire de deux ou trois semaines. Eh bien, non! J'ai fini par gueuler, tu imagines. Rien à faire. J'ai menacé de le quitter. Il m'a suppliée. Dis-moi comment tu t'appelles alors! Non. Tout ce que je voulais mais pour son nom, rien à faire. Plusieurs fois, la nuit, je me suis levée pour fouiller dans ses poches. Rien. Pas un papier. Rien que de l'argent. Il dit toujours que l'argent, ça arrange tout. Pour ça, il n'y a rien à dire. Je veux dire, pour l'argent. Il est régulier. Mais moi, moi je vis avec un fantôme.

Sur la dernière phrase, sa voix avait monté.

– Avec un fantôme, avec un mort, avec personne, avec rien. Tu crois que c'est vivre? Je ne sais même pas où il habite. Écoute! Il a même décousu les étiquettes de ses costumes. Son métier, sa femme, ses enfants, je ne sais rien. Je voudrais l'appeler, il n'y a pas moyen.

Une vieille Anglaise est passée, qui tenait un panier. Elle a demandé : the beach. J'ai fait un geste. Mais elle lui a répondu en anglais, assez bien. Puis, mais sur un ton plus bas :

– Parfois, je me dis que je rêve. Que cet homme n'existe pas, que je l'ai vu une fois devant la vitrine mais qu'il n'est jamais entré, qu'il ne m'a jamais parlé. Une nuit, je me suis réveillée. Il n'était plus à côté de moi. Je me suis dit : voilà, mon rêve est fini, demain je devrai retourner chez Ranieri et ils me trouveront trop vieille, ils ne voudront plus de moi. Tu sais, la nuit, on a de ces idées. Comme si j'avais rêvé mais que les vingt ans avaient passé quand même. Toute ma vie perdue, jetée dans un trou. Comme j'ai eu peur! Je me suis levée. Il était sur la terrasse, dans le noir. J'ai hurlé. J'ai pleuré. Dis-moi ton nom! Dis-moi ton nom! Où tu habites. Qui tu es. Je veux savoir qui tu es! Rien. Il n'a pas voulu me répondre. Non. Non.

Elle secouait la tête, à petits coups, comme une maniaque, comme il avait dû le faire, lui, l'homme à la tête de rat. Cette grande fille. Qui avançait en dansant et la vie avançait avec elle. Elle était dure alors. Dure comme la pierre. Dure comme une machine. Maintenant, dans ce corps défait, je ne trouvais plus que ce seul point, ce point où s'était rassemblée toute sa dureté, cette arête, ce caillot, ce vide, ce seul nom qui lui manquait.

– Parfois j'en deviens folle. Je tourne, je retourne ça. Je ne vis pas. On ne vit pas avec quelqu'un qui n'existe pas.

Un nom? Rien qu'un nom? Peut-être y a-t-il une obscure sagesse dans cette formalité qui veut qu'avant toute chose, les uns aux autres, nous nous présentions? Sans son nom, un homme existe-t-il vraiment ou n'est-ce qu'une ombre entrevue derrière une vitre et que sépare de nous un ramas d'objets? A mon tour, je l'éprouvais, cette morsure. J'éprouvais la cruauté de ce silence et tout ce qu'il devait receler de mépris, de haine, de refus – ou peut-être de ce qui résume tout : de mesquinerie. Il pouvait bien la couvrir de pantalons verts. Ces pantalons verts n'arrangeaient rien. Il restait ce nom, cette première chose de nous que nous donnons si facilement et que, lui, il refusait. Il restait cette femme et ce nœud dans son âme, cette angoisse, cette stupeur. Et pourquoi?

– Mais pourquoi?

– Est-ce que je sais?

Après vingt ans, en était-il encore à craindre qui sait quel chantage? Ou s'agissait-il là plutôt d'une sorte de remords, d'une punition qu'il infligeait à cette femme parce qu'il fallait punir quelqu'un, au hasard, elle ou lui? Ou dans cet anonymat qui rejoignait celui des rues, trouvait-il un surcroît de volupté et ce quelque chose de vil, de lent, de honteux qui est la part obscure de nous-mêmes? Ou encore était-ce l'idée que, sans son nom, cette liaison n'existait pas vraiment ni tout à fait? Et existait-elle? De cette femme, moi aussi, j'avais oublié le nom et je ne me souvenais plus si, dans la pénombre rayée, je lui avais donné le mien. Il n'y avait jamais eu d'autre nom que celui qui était écrit en clous de cuivre sur une ceinture de cuir. Et la ceinture de cuir n'était plus là. Rien peut-être n'avait jamais existé. La vie, était-ce bien la vie qui, un soir, dans ce restaurant, sur un pas de danse, avait avancé vers moi et n'était-ce pas plutôt, sous la lumière blême du néon, non la mort mais le néant? Corps errants, un moment soudés l'un à l'autre et, la seconde d'après, déjà séparés par mille années-lumière.

– Mais l'homme! L'homme qui était avec lui, dans le restaurant, le jour où je t'ai rencontrée. Il devait le connaître, lui.

– L'homme?

Elle eut l'air d'interroger ses souvenirs.

– Ah, l'homme, oui, je me rappelle. Mais il n'est venu qu'une fois. Je ne l'ai jamais revu.

Ce n'était pas possible. Il devait y avoir une faille quelque part.

– Il y a des tas de gens qui viennent dans cette île. Il n'y a jamais personne qui lui ait dit bonjour?

– Non.

Après tout... Cette obstination à cacher son nom m'avait fait penser qu'il devait s'agir d'un homme important. Il n'était peut-être pas important du tout.

– Tu peux le quitter...

– Pour aller où? Tu m'installerais quelque part, toi?

Ce n'était pas une question. Elle constatait.

– Tu vois bien.

– Tu l'aimes?

Un moment, elle hésita. Son visage lourd, son regard droit devant elle : la mer, le ciel, les agaves. Puis, gravement :

– C'est spécial.

Non, pas gravement. Une expression raisonnable plutôt, comme quelqu'un qui a bien examiné tous les aspects du problème.

– Au début, je le trompais. J'étais enragée. Non, ce

n'était pas de la colère. Enfin, en même temps, j'étais furieuse contre lui et contente, excitée d'être ici, dans cette île. Alors je le trompais. Avec n'importe qui.

Elle a tourné la tête vers moi et, de sa voix d'enfant :

– Tu ne t'étais pas fait des idées, au moins?

Non, je ne m'étais pas fait des idées.

– Puis, je crois qu'il l'a su. Il a dit que la maison, c'était trop cher et qu'il avait peur pour moi, la nuit. Il m'a mise dans un appartement, au premier étage d'une maison. Tu sais, la rue derrière l'église. Au rez-de-chaussée, il y a les propriétaires. Un vieil employé et sa sœur. Ça me fait une compagnie. Le soir, je descends. On regarde la télévision.

Elle était vivante. Un temps avait été où elle était vivante.

– Et tu ne le trompes plus?

– Je n'en ai plus envie.

Marche après marche. On descend une marche puis une autre : on se retrouve au fond d'un puits.

– Et eux? L'employé et sa sœur? Ils doivent le savoir, son nom.

– Ils ne savent rien du tout. Le loyer est payé, c'est tout ce qu'ils demandent. Ils l'appellent le professeur.

Et, à l'occasion, j'imagine, ils lui faisaient leur rapport.

– Tu sais, le vieil employé, une fois, j'ai dû le remettre à sa place. Oh, une fois...

Elle n'en faisait pas un drame.

– Et jamais il ne lui échappe un mot sur ses affaires, sa famille?

– Non, jamais.

– De quoi parlez-vous alors?

– De tout. Il est instruit. C'est lui qui m'a appris l'anglais.

Marche après marche. Le vieil employé, la sœur du vieil

employé, la télévision, le professeur, la mer tout autour, jusqu'à mi-horizon, comme un mur.

– Tu ne vas jamais sur le continent?

– Non. Pourquoi?

– Pour rien. Pour...

– Et s'il venait quand je suis partie?

– Et s'il mourait?

– Il a pris toutes ses dispositions. S'il reste trois semaines sans venir, je dois aller chez le notaire.

– Eh bien, le notaire! Tu peux lui demander qui il est?

– J'ai essayé, tu penses. Il prétend qu'il ne sait rien. Il a une enveloppe en dépôt. C'est tout.

– Et tu ne saurais jamais s'il est mort ou si simplement il t'abandonne?

– Non, dit-elle. Je ne le saurais pas. Je pourrais lire son avis de décès dans un journal, je ne saurais pas que c'est lui.

– Et si tu mourais, toi?

C'est sur le ton le plus uni qu'elle m'a répondu :

– Je mourrai seule.

Puis :

– Avec un peu de chance, cette semaine-là, quand il arrivera, je serai déjà enterrée. Il rentrera chez lui.

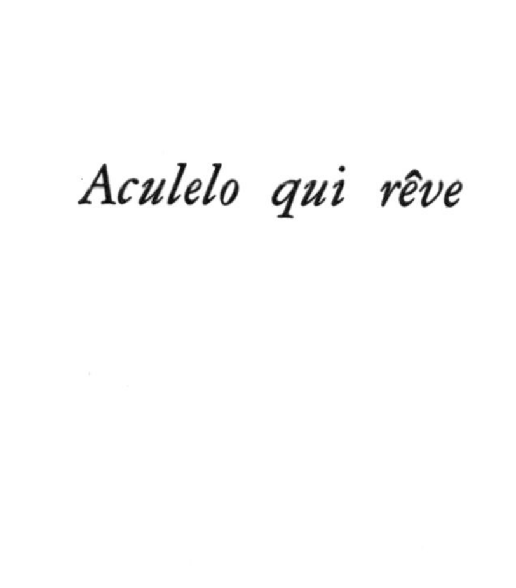

Aculelo qui rêve

O Aculelo ! Aculelo le soir, sous ton ciel violet, à l'heure où l'on n'entend plus que le cri rare du manigouse ou, parfois, dans une cahute, le gémissement d'un enfant que tourmente un cauchemar. Aculelo à l'aube, lorsque les longs voiles de la nuit pâlissent et, avant de se dissiper, flottent encore entre les palmes des surricanes. Aculelo, je te revois, émergé de la saison des pluies comme des brumes du souvenir. Aculelo et tes moulins à eau dont les palettes battent lentement dans l'air poisseux. Aculelo qui rêve...

Sauf quelques maisons construites en dur, qui sont sur la terre ferme et toutes occupées par les familles tamos (on appelle ainsi les descendants des premiers pionniers débarqués en 1827 du steamer O'Tamo), Aculelo tout entier est bâti sur pilotis, au-dessus des eaux moirées de la lagune. Des passerelles relient entre elles les maisons, disons plutôt les cahutes. Lesquelles ont une particularité curieuse : elles sont édifiées en hauteur, à raison d'une pièce par étage, jamais plus, quelques familles nombreuses arrivant ainsi jusqu'à des trois ou quatre étages. Les pièces supérieures, en général, sont réservées aux membres plus jeunes de la famille, l'accès, il est vrai, n'en étant pas des plus commodes et se faisant par des échelles de corde ou, plus exactement, de rhéa, une plante aquatique que, par là, on trouve à foison et qui fournit une fibre très résistante. Lorsque, par les beaux soirs de la saison chaude, les gens sont aux fenêtres, les grands-parents au rez-de-chaussée, les père et mère au premier, les enfants au deuxième, cela fait un spectacle saisissant : on dirait la vie elle-même, les illusions en haut, la sagesse en bas. D'où aussi l'expression courante : on l'a fait descendre, par quoi l'on veut dire que quelqu'un est près de son heure dernière.

Or, dans une de ces cahutes, une des plus rudimentaires, vivait, avec sa mère, un certain Pedro de l'Arbre à Pain. Il me faut signaler ici une autre particularité locale. Dans cette région reculée, qu'une jungle épaisse sépare des premières villes du Matto Sao (elles-mêmes assez primitives), personne, évidemment, n'a la moindre idée de l'état civil. C'est tout juste si, de loin en loin, un inspecteur vient procéder à un recensement qui reste approximatif. Par-dessus le marché, ne connaissant que quelques prénoms, toujours les mêmes, les habitants d'Aculelo, pour se distinguer entre eux, ont pris l'habitude d'y ajouter des vocables familiers : de la Balle, de la Huche, du Père Albinos. On attribue cette tradition à un certain tamo qui, venu de France et ex-garde-chasse d'un vicomte de la Rochecotte, s'était bravement fait appeler Michel de la Rochecotte. Il en est souvent ainsi des traditions. Elles naissent d'un malentendu, d'un mot mal compris et que l'Histoire ou l'habitude malaxent. Pedro de l'Arbre à Pain était ainsi dénommé parce que, près de sa cahute, sur une mince langue de terre, un arbre à pain déployait ses branches noueuses et ses larges feuilles vernissées.

Ce Pedro, de son état, était pêcheur. Cette profession,

comme on sait, incite aux passions lentes mais fortes. Vers l'âge de douze ans, un jour, comme il passait en barque entre les pilotis, il avait vu une petite fille qui, à genoux sur une des passerelles et le visage tendu, s'efforçait de rattraper une fleur jaune tombée dans la lagune. Obligeant de son naturel, Pedro avait fait faire à sa barque un détour, avait repêché la fleur, l'avait tendue à la petite fille. Laquelle alors, toujours à genoux sur la passerelle, de haut en bas, avait jeté ses bras autour du cou de Pedro et l'avait embrassé sur la bouche. C'est à ce moment précis que, pour Pedro, le monde avait basculé. La fleur jaune, le heurt de sa barque contre le pilotis, l'ombre épaisse de l'arbre à pain, le ciel pistache (car le soir tombait), l'eau plate de la lagune et le cri du manigouse, tout, pour lui, s'était rassemblé dans ce baiser. Notez que le baiser sur la bouche, là-bas, c'est notre shake-hand et qu'il n'a guère plus de signification. Déjà, d'ailleurs, insoucieuse de l'orage qu'elle avait déchaîné, la petite fille s'éloignait, sa fleur jaune entre les dents, légère dans son paréo turquoise. Mais l'orage restait derrière elle et Pedro en avait subi la foudre. On me dira : à douze ans... Mais est-il un âge pour l'amour? A partir de ce jour-là, Pedro n'eut plus qu'une pensée : Pilar. Tout le jour, tantôt jetant ses filets, tantôt ramenant quelque sarao ou le poisson-torpille si savoureux lorsqu'on le cuit sur un feu de branches de surricane, tantôt plongeant dans la lagune pour attraper le poisson-éponge ou le racassa dont les arêtes sont vert émeraude, sans cesse, devant lui, il voyait Pilar. En rentrant, si, de loin, il l'apercevait, il s'attardait, laissait traîner ses rames. Parfois Pilar l'appelait et, avec d'autres enfants, ils jouaient à cache-cache, sur la terre ferme, entre les larges troncs des gobbas ou les buissons de sarcocolliers. Minutes inoubliables! La main dans la main, ils s'engageaient – jamais très loin – dans l'ombre verdâtre, presque liquide, de la forêt. Le cœur battant, ils écoutaient les rumeurs, les frôlements et, au loin, le cri bref des singes, le sifflement acéré du troupiale. Prise de peur, Pilar se serrait contre Pedro. Ses cheveux frôlaient son visage. Pedro en respirait avec ivresse le parfum poivré.

Il y eut ainsi quelques années qui, pour Pedro, passèrent comme un songe. C'était devenu un fort et beau garçon et les filles volontiers l'agaçaient. Pedro ne s'en apercevait même pas. Son amour pour Pilar était autour de lui comme une brume au travers de laquelle les autres ne lui apparaissaient que comme de lointaines et vagues silhouettes. Quelque chose pourtant le tourmentait : il n'était qu'un pêcheur, Pilar était une tamo. Il peut paraître étrange et même risible que, dans une contrée aussi reculée, il existe des classes sociales. Cela est, pourtant. L'homme est ainsi bâti que, de la moindre singularité, il se fait volontiers une Légion d'honneur. Vivant exactement comme les autres, aussi pauvrement, se nourrissant comme eux de poissons frits, de manioc et de baffa, gâteau de moelle de sureau, les tamos cependant, du simple fait qu'ils habitent sur la terre ferme et dans des maisons en dur, se considèrent comme des aristocrates et gardent quelque distance. Après avoir longuement médité sur cet aspect de la question, Pedro prit son courage à deux mains et, un jour, il décida de faire sa déclaration.

Les rites de la déclaration, là-bas, sont simples. Lorsqu'un jeune homme a distingué une jeune fille et que ses intentions sont sérieuses, il prend son bakélé, sorte de banjo, et il en va jouer sous la fenêtre de sa bien-aimée. Ce rite est tout à fait admis, il a quelque chose d'officiel et les voisins peuvent très bien se rassembler pour écouter le musicien, pour l'applaudir ou pour le siffler. Quels que soient ses sentiments, la jeune fille est tenue de donner une réponse. Elle la donne en jetant à son soupirant soit une tubéreuse si elle agrée la déclaration, soit une patate douce si elle la décline. Il est de mauvais ton de donner la réponse dès la première audition. En général, on attend la troisième ou la quatrième, ce qui est sage car, primo, on ne saurait trop réfléchir avant de s'engager et, secundo, on n'a pas toujours une tubéreuse sous la main, ni une patate douce. Lorsque, pour une raison quelconque, la prétention du soupirant est jugée offensante, la jeune fille peut aller jusqu'à jeter une poignée de manioc. Cela constitue une insulte grave et, au malheureux qui s'y est exposé, il ne reste qu'à épousseter son manioc et à rentrer chez lui en espérant que personne ne l'a vu. D'où l'expression populaire : homme à manioc, qui veut dire : homme dont personne ne veut.

Pedro, heureusement, n'était pas homme à manioc ni même à patate douce. La première audition se passa tout à fait bien. Il faut dire que, pour la circonstance et en raison de la distance sociale qui le séparait de Pilar, Pedro avait demandé au scribano (écrivain public) de lui composer une chanson tout exprès. En voici la traduction qui, malheureusement, ne rend pas tout le charme du dialecte acupeltèque, où les labiales notamment ont une singulière douceur.

Tamo tamo tamo
Certes ne suis
Mais mon cœur bat
Bat bat bat dans la nuit.
Tamo tamo tamo
Certes ne suis
Mais dans mes yeux l'espoir

L'espoir l'espoir a lui
Tamo tamo tamo
Certes ne suis
Mais d'amour mourir
Mourir mourir je puis.

La chanson plut beaucoup. Le père de Pilar lui-même, homme grave et tout en longueur, voulut bien se montrer sur le seuil de sa maison et, à en juger par son expression, il semblait penser que, pour n'être pas tamo, ce jeune homme ne manquait ni de figure ni d'esprit. Pilar, elle, de sa fenêtre, écoutait, la main sur la figure, comme il se doit, mais qu'elle écartait parfois pour laisser deviner son bonheur. Elle était devenue ravissante, Pilar. De sang métissé, elle était brune, mais d'un brun chaleureux, où passaient des reflets. Là, à sa fenêtre, prise entre les lueurs lilas du soleil couchant et la pénombre de sa chambre, elle avait l'air d'une statue d'or au fond d'un temple, et sa bouche un peu large était comme une fleur écarlate. Dès la deuxième audition – succès flatteur – elle jeta la tubéreuse. Pedro aussitôt se leva, appuya la tubéreuse sur son cœur et s'inclina. Après quoi, il pénétra dans la maison et, au père de Pilar, il dit : « Bénédiction sur toi, homme. » Puis il prit Pilar par la main et, lentement, ils s'en allèrent le long de la plage. Un jeune garçon avait pris le bakélé abandonné par Pedro et, la démarche dansante, les genoux pliés, la tête levée vers le ciel, comme ivre de ses roulades, il les suivait en chantant :

Tamo tamo tamo
Certes ne suis
Mais mon cœur bat
Bat bat bat dans la nuit.

A l'annonce de la nouvelle, tout le village s'était animé. Au battement du tamseo, sorte de tambour, tandis que les vieux frappaient dans leurs mains en cadence, les jeunes, tout le long des passerelles, se déchaînaient dans une norra furieuse. La norra se danse en frappant des talons, les paumes levées, le tronc renversé en arrière. Tous ces talons contre les planches, cela faisait comme un autre tambour, énorme, et comme le battement même du cœur de la forêt. Et, dans l'air immobile et mou peu à peu envahi par de grands pans d'obscurité, tandis que, effrayés par le bruit, les manigouses s'envolaient des surricanes, repris en chœur par tout le village, voix mâles, voix fraîches, voix cassées, montait le doux chant des fiançailles.

Tamo tamo tamo
Certes ne suis
Mais mon cœur bat
Bat bat bat dans la nuit.

Après quoi, comme il convient, il y eut la période des fiançailles. Sauf les variantes, au fond insignifiantes, que peuvent introduire la télévision ou l'album de photographies feuilleté sous les yeux d'une mère, les mœurs des fiancés sont à peu près pareilles sur toute la largeur de la terre. Le soir, rentré de son travail, Pedro venait chercher Pilar et l'emmenait dans sa pirogue. Ou bien, assis sur une passerelle, les jambes ballantes, ils causaient ou se taisaient en regardant, à leurs pieds, les moustiques qui rayaient l'eau de leur vol épileptique ou les lents remous provoqués par le passage d'un poisson-coffre. Les soirs de fête, ensemble ils dansaient la norra ou encore, la main dans la main, ils prenaient part aux chœurs qui, régulièrement, sous la direction du Padre, réunissent la jeunesse acupeltèque. Puis Pedro reconduisait Pilar jusque chez elle et, sagement, l'embrassait sur la bouche.

Vint le grand jour de la demande proprement dite. Pedro mit le plus beau de ses deux ponchos et, pour être plus sûr de plaire, il s'enduisit le corps d'une décoction de nataho, herbe dont le parfum rappelle celui de la cannelle. Sa mère, elle, avait mis son caraco ponceau et le peigne haut dont on n'use que dans les grandes circonstances. Ensemble, ils se rendirent chez Pilar. Toute la famille y était rassemblée : le père et la mère de Pilar, sa grand-mère qui mâchonnait un cigare court et d'ailleurs éteint, son oncle qui était un demeuré, une tripotée de petits frères et de petites sœurs. Et Pilar enfin, très parée, dans une robe safran, des bracelets aux poignets et aux chevilles – et très distante. Le bon ton, en effet, veut que, ce jour-là, la jeune fille feigne de se désintéresser de la discussion.

Comme l'impose l'usage, la conversation commença par effleurer divers sujets étrangers à l'objet de la réunion : le temps qu'il faisait, la santé de chacun des présents, un aigle qui avait été abattu. On évoqua aussi, mais rapidement, la mémoire du père de Pedro, l'excellent Alonso, et le père de Pilar déclara qu'il regrettait de ne l'avoir pas davantage fréquenté, ce qui était courtoisie pure car, vivant à cent mètres l'un de l'autre, ils avaient été brouillés toute leur vie pour une histoire de poisson-éponge dans lequel leurs harpons respectifs s'étaient croisés. Enfin la mère de Pedro formula la demande. Le père – toujours dans le ton voulu – feignit la surprise, déprécia sa fille (autre usage), fit valoir que, malgré ses défauts, sa présence au foyer était utile, qu'il était juste donc qu'il fût indemnisé et, en conclusion, énonça son chiffre : sept mille cruzeiros. Pedro respira. Ayant, comme il est trop naturel, une très haute idée de son aimée, il avait craint que la somme demandée ne fût plus considérable. Objectivement, d'ailleurs, c'était raisonnable. On cite une fille tamo pour laquelle on avait demandé jusqu'à douze mille cruzeiros. Bien entendu, de ces sept mille cruzeiros, Pedro n'avait pas le premier centavo. Cette situation-là, aussi, était fort commune. A Aculelo, il y a peu d'argent et, d'habitude, pour rassembler la dot de leur élue, les fiancés vont travailler, pendant quelques mois, dans les mines de soufre. A cette épreuve, Pedro était déjà résigné.

Ce qui fait que, dès le lendemain, à l'aube, à l'heure où l'acaraura, l'oiseau sacré, pousse son premier chant et se déchire le cœur dans un ciel encore vert, bien pris dans son poncho serré à la taille par une ceinture que lui avait tressée Pilar (et où, par une pensée d'amoureuse, elle avait glissé quelques brins de l'herbe-à-buffles qui éloigne les mauvaises femmes), armé de son arc et de sa machette, sabre court qui sert aussi bien à trancher les lianes qu'à se défendre contre le navajo, le redoutable serpent indigo, Pedro partit. Le voyage était long. Pendant quinze jours entiers, Pedro chemina à travers la jungle, marchant toute la journée, se nourrissant des tatous et des barrites qu'il abattait au passage (la chair du barrite rappelle assez, en plus fibreux, celle du veau), dormant la nuit sous les grands topanas, sorte de dicotylédone dont les branches, en retombant jusqu'au sol, protègent des fauves. Enfin, il arriva à Santa Prù, où se trouvent les mines de soufre.

La ville de Santa Prù, si on peut appeler cela une ville, est bâtie dans la situation la plus ingrate qui soit : dans une manière de cuvette, entourée de montagnes dont les rochers assez souvent se détachent et roulent le long des pentes pour ne s'arrêter qu'aux abords de l'agglomération. A vrai dire, s'ils ne s'arrêtaient pas, le dommage ne serait pas grand. Santa Prù n'est qu'un ensemble de baraquements, les uns en bois, les autres en tôle, tous minables, disposés de part et d'autre d'une grand-rue de sable jaune, labourée d'ornières et qui, assez symboliquement, mène à l'entrée de la mine, seule raison d'être de Santa Prù. Sauf les quelques dirigeants de la mine qui vivent à l'écart dans des maisons plus décentes et autour desquelles ils essaient en vain de faire pousser quelques arbres ; sauf les mineurs qui, en général, ne restent à Santa Prù que le temps de rassembler un pécule pour regagner ensuite les campagnes plus riantes du Matto Sao ou pour aller le dissiper à Perros-Buocco, l'enfer du jeu, la population de Santa Prù ne compte que des logeurs, des restaurateurs, un photographe, quelques prostituées, deux ou trois aventuriers à la retraite devenus joueurs professionnels, tous obèses, tous rongés par la psiapsis (qui donne une mauvaise graisse et, à la peau, une vilaine couleur verdâtre) et posés là, comme des tas, derrière leurs comptoirs ou aux tables du bodega.

Mais Pedro n'était pas là pour aller au bodega. Précisons même immédiatement que, de tout son séjour, pas une fois, il n'y mit les pieds. Sorti de la mine, il faisait quelques pas, pour prendre l'air, pour débarrasser ses poumons de la poussière âcre du soufre et puis, sagement, il regagnait la chambrée qu'il occupait avec trois autres mineurs. Là, avec eux, il jouait au nabocho, jeu de cartes assez innocent où il faut une malchance bien obstinée pour perdre son cruzeiro dans la soirée. A côté de son lit, sur la cloison, il avait tracé un quadrillage dont il noircissait les cases au fur et à mesure que s'augmentait son pécule. Au bout de quatre mois, toutes les cases étaient noircies. Un dimanche, Pedro tira de dessous son lit le petit coffre dont il avait fait l'emplette et, sur son grabat, avec soin, il étala les pièces et les billets qui, de samedi en samedi, lui avaient été versés. Le compte était juste : Pedro se trouvait à la tête de dix mille cruzeiros. C'était la somme qu'il s'était fixée : sept mille pour la dot de Pilar, trois mille pour équiper son ménage et pour voir venir. Comme il rangeait son argent, du grabat voisin, l'interpella un de ses compagnons de chambrée, Juan du Désert sur la Tête, ainsi appelé parce qu'il était chauve.

– Tu vas trimballer tout ça?

– Bien sûr, rétorqua Pedro. Je l'ai gagné.

– Mais ça fait un paquet. Et si tu rencontres des voleurs?

– Dans la jungle, dit Pedro, tu ne rencontres que le navajo. Le navajo prend ta vie, pas ton argent.

– Quand même, reprit le chauve. Toutes ces pièces, ça pèse. Pourquoi ne te fais-tu pas donner un beau billet? Que tu peux cacher. Qui ne pèse rien. Et qui va drôlement les épater, dans ton bled.

Bien qu'à la dernière proposition, on eût pu reprocher quelque futilité, ce conseil, apparemment, était raisonnable. Le lundi matin, Pedro se rendit à la banque locale, un baraquement aussi minable que les autres, et, en échange de sa monnaie, il se fit remettre un billet de dix mille cruzeiros. Que, suivant le conseil de l'avisé Juan, il eut soin de coudre dans un pan de son poncho.

Trois heures plus tard, ayant franchi la passe de Barhao, il abordait la jungle. Le pas vif, l'ivresse dans le cœur, il faisait siffler son sabre pour le plaisir et il décapitait les hambassaos aux étroites feuilles violettes. Le quinzième jour, vers la fin de l'après-midi, il se trouva en vue d'Aculelo. Là, saisi par une émotion, ébloui tout ensemble par la perspective de son bonheur et par le spectacle qu'il avait sous les yeux, il s'arrêta.

C'était une journée radieuse. Sous un soleil déjà bas sur l'horizon et rouge capucine, Aculelo s'étendait, ocre et lilas, comme bercé par la buée qui montait de la lagune. Du linge pendait aux fenêtres. Des enfants couraient sur les passerelles, un homme rentrait sa barque et, à l'avant-plan, comme pour marquer que jamais l'amour ne chôme et qu'il brave le temps, les distances et les jungles, un autre soupirant jouait d'un autre bakélé pour une autre jeune fille. Qui, à sa fenêtre, souriait, sa tubéreuse déjà entre les doigts mais feignant d'hésiter encore, par taquinerie certainement, par coquetterie, car son sourire promettait des délices. O Aculelo! O paradis sur la terre! O lumière rose sur les reflets micacés de la lagune! Aculelo de ma Pilar! Pedro se mit à courir. A sa fenêtre, il aperçut Pilar. Il leva ses deux bras vers elle. Et elle eut un geste... Pilar, ô ma Pilar, longtemps encore, je me souviendrai de ton geste et, à ma dernière heure, c'est lui sans doute que je reverrai, tu te souviens? à la fin du quinzième jour? Mais Pedro s'était repris. Soucieux des préséances, il pénétra dans la pièce du bas. Le père de Pilar était là, accroupi sur la natte, fumant une longue pipe.

– Déjà? dit-il. Car, à ses heures, il maniait l'ironie.

Pedro eut un rire tout en dents. Déchirant le coin de son poncho, il en tira le billet, l'étala devant lui, sur la natte, la paume dessus.

– Voilà! dit-il.

Mais déjà, à l'annonce de son retour, tous accouraient. Les petits frères et les petites sœurs. Qui sautaient. Qui battaient des mains. Et la mère de Pedro et la mère de Pilar, si émue qu'elle en oubliait sa réserve coutumière et elle disait :

– Raconte, voyageur! Raconte-nous les choses du grand Nord. Est-il vrai que la femme là-bas, au lieu du cigare et de la pipe, est assez effrontée pour fumer la cigarette?

Et Pilar accourait à son tour. Et elle se jetait dans les bras de Pedro. Et elle l'embrassait sur la bouche. Et la bénédiction était sur la terre.

– Oui, dit le père.

Il l'avait dit sur un ton particulier et qui annonçait un plus long discours. Tous se tournèrent vers lui. Le billet entre les doigts, le vieil homme le contemplait, la tête penchée, avec l'expression qu'aurait pu avoir, sous d'autres latitudes, un amateur admirant une estampe.

– C'est bien dessiné, dit-il.

Puis :

– Mais c'est trop.

– Eh, je sais bien, dit Pedro. Tu me rendras le reste, homme.

– Le reste? dit le père. Mais le reste, ça fait trois mille cruzeiros.

– Juste! dit Pedro avec un regard malicieux vers Pilar, qui lui répondit par un battement des cils.

– Eh bien! reprit le père avec une noble simplicité. Où veux-tu que je les trouve? Je n'ai jamais eu trois mille cruzeiros.

Et, après un temps, modestement :

– Pas même mille.

Pedro se gratta la nuque. A cela, il n'avait pas pensé.

– Voyons! dit-il. J'irai chez quelque voisin. Il me le changera.

Le père de Pilar hocha la tête.

– Homme jeune! dit-il avec indulgence.

Puis, le vieil orgueil tamo reprenant le dessus :

– Si je n'ai pas trois mille cruzeiros, qui les aura?

Pedro, cependant, le regard dans le vide, passait rapidement en revue les divers notables d'Aculelo.

– Juan de la Branche à Sucre?

Le vieux haussa les épaules.

– Alonso de la Prison Manquée?

– Tiens! dit le vieux avec pitié. La semaine dernière, j'ai dû lui prêter quatre cruzeiros. Et réfléchis, ajouta-t-il avec vivacité. Une pensée vient de me traverser le cerveau (et il se toucha le genou car, dans ces régions, on croit que le siège du cerveau est dans le genou, opinion qui en vaut bien une autre). Réfléchis! Moi encore, je ne devrais te rendre que trois mille cruzeiros. Si tu t'adresses à un autre, à qui tu ne dois rien, c'est dix mille cruzeiros qu'il devra te rendre. Qui a dix mille cruzeiros? Qui, sauf toi, homme honorable?

Là, il y eut un moment d'accablement. A tout hasard, la mère de Pilar se mit à pleurer et, avec elle, par bonté de cœur, les petits frères et les petites sœurs. Pedro et Pilar échangèrent un regard.

– Tant pis! dit Pedro. Tu garderas tout.

– Si tu veux, dit le père avec une indifférence assez bien jouée.

– Ah non! dit Pilar très nettement. Ces trois mille cruzeiros, nous en avons besoin.

En elle, la ménagère avait parlé. C'était trop naturel. Il n'y avait qu'à s'incliner. En l'entendant, Pedro eut même un mouvement d'orgueil. Entre son père et lui, elle avait choisi.

– Bon! dit-il.

Il reprit son billet et, pendant deux heures, le long des passerelles, on ne vit que lui. Il allait de cahute en cahute, un peu ralenti par l'usage local qui veut que d'abord on parle d'autre chose mais arrivant quand même assez vite à exposer son problème, provoquant des réactions variées. Devant son beau billet, le vieux Juan émit un sifflement bref et strident. Alonso du Père Douteux, lui, qui avait plus de cœur, prit le billet et l'embrassa sur les deux faces. Matteo de la Barque Verte se toucha les oreilles, le mauvais sort, à son idée, étant inséparable d'une si grosse coupure. Hélas, au bout de tout ça, la conclusion partout, était la même :

– Te changer dix mille cruzeiros? Homme, quelle idée étrange te fais-tu de la vie?

Dans un geste touchant, ils tendaient leurs coffrets en bois de rabajo. Quelques billets, quelques pièces, c'était tout ce qu'on y pouvait trouver. Accablé et la fatigue du voyage lui engourdissant les jarrets, Pedro alla se coucher.

Dès le lendemain, chez Pilar, la palabre reprit. A toutes fins utiles, Pedro avait remis le billet sur la natte, au milieu de la pièce et, furieux, il se frappait le genou, maudissant son cerveau et sa faiblesse d'avoir écouté autrui.

– Quand je pense! disait-il. Quand je pense que, cette monnaie, je l'avais, et que c'est moi qui ai voulu ce billet. Ce billet qui nous nargue. Qui ne sert à rien.

Pilar, le visage fermé, ne disait rien. La mère geignait à petits coups. Le père méditait. Il y avait bien une solution, à la rigueur : que Pedro retournât à Santa Prù. Mais le voyage, on l'a vu, prenait un mois, quinze jours à l'aller, quinze au retour. Devrait-on d'autant retarder le mariage? Alors que, la veille, dans sa joie, Pilar (et qui ne la comprendrait?) l'avait annoncé à toutes ses amies. Et fallait-il que Pedro s'exposât une nouvelle fois à tous les dangers de la jungle, les fièvres, les fourmis rouges, le redoutable serpent navajo? Sans compter les mauvaises femmes de Santa Prù. Et tout cela pour rien! Pour se retrouver au retour avec la même somme qu'au départ! Les Acupeltèques sont rieurs. Pilar les imaginait déjà, le soir, devant leurs cahutes, se narrant l'histoire de cette fille tamo qui, faute de monnaie, avait dû retarder son mariage.

– Non, dit-elle. Je ne veux pas.

– Mais alors quoi?

Mais oui, quoi? Attendre le prochain passage du marchand de cotonnades, quincaillerie et articles de Paris? Mais, d'abord, rien ne garantissait que le marchand aurait sur lui la monnaie de dix mille cruzeiros et, ensuite, il ne venait guère que deux fois par an et sa dernière visite ne remontait qu'à trois semaines. Quant à la solution qui aurait consisté à laisser, en attendant, le billet entier à une des deux parties, l'idée ne fut même pas effleurée. Outre que, entier, ce billet ne servait à rien ni à personne, qui serait assez insensé, assez faible du genou pour confier à un autre qu'à soi-même des sommes comme trois mille ou sept mille cruzeiros?

C'est alors que, d'un geste lent, le père de Pilar dissipa la fumée de sa pipe et dit :

– La patenta.

Les regards qui se tournèrent vers lui étaient chargés d'incompréhension.

– La patenta, reprit-il. Si quelqu'un, dans Aculelo, peut avoir dix mille cruzeiros, c'est la patenta.

Pilar se leva d'un bond.

– Jamais! dit-elle.

Il faut ici un mot d'explication. Dans ces régions où, comme on l'a vu, l'administration elle-même renonce, où il n'existe ni impôt ni service militaire, une profession pourtant est soumise à la patente. C'est, il est vrai, la profession dont on dit, d'ailleurs à tort, qu'elle est la plus ancienne du monde. D'où, à Aculelo, l'habitude de désigner la titulaire de cette patente par le document qui principalement la distingue, c'est-à-dire la patente elle-même. Il faut ajouter aussi qu'en raison de la vertu locale, fierté des Acupeltèques, la profession y est exercée par des créatures venues du Matto Sao, qui s'y succèdent, en général, de dix ans en dix ans, une à la fois, les hommes d'Aculelo, autre aspect de la vertu locale, n'en usant qu'avec modération.

– Jamais! reprit Pilar avec plus de feu encore. Moi vivante, mon fiancé ne franchira pas le seuil de cette femme.

– Il pourrait ne pas le franchir...

– Jamais! dit Pilar.

Et, comme saisie d'une inquiétude, elle se pencha sur Pedro.

– Tu n'iras pas, n'est-ce pas?

– Non, non, dit Pedro éperdu.

La mère de Pilar s'animait à son tour. Pour une femme qui ne parlait guère, elle prenait sa revanche.

– Quoi? s'exclamait-elle avec une touchante éloquence. Quoi, homme, la dot de ta fille, argent sacré et ici doublement sacré car il a été acquis par un labeur honnête, accepterais-tu qu'entre tes mains, il se transforme en des billets chargés encore et du péché de l'homme et du déshonneur de la femme? Homme, je m'étonne que cette pensée ait traversé ton genou.

– Très bien, dit le père.

Et il se leva.

– Que vas-tu faire? demanda Pilar frémissante.

– Affaire d'homme, dit le père.

Gravement, les mains derrière le dos, il sortit, traversa la plage, s'engagea sur une des passerelles.

– Oh! dit la mère. Il y va.

Femme! Au soir de ta vie, est-ce bien le moment de douter de ton époux? Regarde-le plutôt. Admire sa prudence. Arrivé en vue de la patenta qui, comme d'habitude, était assise devant sa porte, le vieil homme s'arrêta sur la passerelle en face et, de là, surplombant une laveuse qui battait son linge, il interpella la créature, lui exposant la question dans toute son ampleur. Hélas, s'il est de braves catins, il en est aussi d'acariâtres. La patenta refusa tout net et même en termes assez vifs. Elle n'était pas une changeuse, une postière, une buraliste et, d'ailleurs, quelle raison aurait-elle eue d'obliger ce jeune Pedro qui, en vingt ans de sa vie, jamais ne lui avait fait la politesse?

– Il aimait, dit le vieux en manière d'excuse. Mais, cette politesse, moi je l'ai faite.

La patenta souleva ses lourdes paupières et le toisa.

– Je ne m'en souviens pas, dit-elle.

– Jeunesse! dit le vieux. Entre la femme qu'un soir je visitai et toi, il y a eu au moins six patentas. Mais le geste compte.

– Pas pour moi, dit la patenta, insensible à cette allusion, pourtant flatteuse, à la pérennité de sa fonction.

– Alors, tu ne veux pas changer le billet?

– Non.

Le vieux ne perdit pas courage.

– Enlève-moi une curiosité, reprit-il. Es-tu de celles qui doutent assez d'elles-mêmes pour se faire payer avant?

La patenta redressa son buste considérable.

– Pour qui me prends-tu? Toujours après. C'est mon honneur.

– Bien! dit le père comme s'il avait marqué un point. Et si l'homme, alors, te tend un billet de dix mille cruzeiros?

– Dix mille! A Aculelo?

– Supposons, dit le père patiemment.

– Je lui rends la monnaie, tiens!

– Ah ah! Et si, entré dans ta maison, cet homme, devant toi, reste immobile et pensif.

La patenta eut un sourire tout ensemble orgueilleux, lascif et tranquille.

– Devant moi? dit-elle.

Le vieux en frémit. Pas d'erreur! Là, dans l'air lourd, au-dessus de l'eau plate de la lagune, c'était la luxure elle-même qui venait de passer. Et, sous la passerelle, comme saisie par un doute, la laveuse s'arrêta de battre son linge.

– Supposons, dit le père. Quelque lumbago...

– Lumbago ou pas, le prix est dû.

– Et quel est ce prix, gracieuse?

– Dix cruzeiros.

Le père eut un sursaut.

– Dix? De mon temps, c'était cinq.

– La vie a augmenté, dit la patenta.

Les mains toujours derrière le dos, le père promena autour de lui son regard. A quelques pas, accroupi devant sa cahute, le vieux Juan suivait l'entretien. En dessous de lui, Miguel de la Mère Irritée rafistolait sa barque. C'étaient deux hommes sages. De l'index, le vieux les invita à le rejoindre.

– J'ai besoin de témoins, leur dit-il.

Les deux hommes acquiescèrent. Quand un tamo demande un service, il n'a pas besoin de donner ses raisons.

Tous les trois, très dignes, ils entrèrent chez la patenta. Là, en gens bien élevés, ils s'accroupirent sur la natte et commencèrent à parler de choses et d'autres. Déconcertée, la patenta leur offrit une tasse de maté (qu'on appelle aussi thé du Paraguay ou thé des jésuites). Puis, comme la conversation faiblissait, elle montra des photographies de sa petite fille qui était en pension dans une des villes du Matto Sao. Après un quart d'heure, le père se leva.

– Quel dommage, dit-il, que ce lumbago me soit survenu. Tu me pardonneras, femme. Je te dois dix cruzeiros.

Il tendit le billet. La patenta le changea. Et les trois hommes s'en furent.

Ils n'avaient pas fait quinze pas sur la passerelle qu'ils se heurtèrent à la famille, fort animée.

– Homme! dit la mère de Pilar. Tu es allé chez cette femme!

Le vieux leva la main.

– Demande à ces hommes, dit-il. Pas un instant, le péché n'a effleuré ni mon genou ni ma clavicule.

Gravement, les deux témoins approuvèrent.

– Ah! dit la mère.

Puis, repartant :

– Mais cet argent! Cet argent souillé! Ni Pilar ni moi, nous n'en voulons dans nos maisons.

– Un moment, dit le père.

Escorté de ses témoins, de sa femme, de Pilar et de Pedro et même, à quelques pas, de la grand-mère qui mâchonnait son cigare, il se rendit à l'église. Le Padre était là, occupé à redorer un chandelier qui en avait bon besoin. C'était un homme grand, à profil d'aigle, métis lui aussi et fort foncé.

– Entends ma confession, dit le père. J'ai été chez la patenta.

– Toi? dit le Padre.

D'un geste de la main, courtois cependant, le père indiqua qu'il connaissait la suite.

– Dix Pater et dix Ave, je sais. Je les dirai, Padre. Mais maintenant je te demande de bénir ces billets.

– Tiens! Pourquoi? dit le Padre.

Un regard autour de lui le dissuada d'indaguer davantage.

Le père de Pilar avait la mine grave ; la mère, un visage tendu ; Pedro et Pilar une expression anxieuse. Et, après tout, une bénédiction est toujours louable. Longuement, le Padre bénit les billets. Le père les reprit.

– Tiens ! dit-il à Pedro. Voici tes trois mille cruzeiros. Moins cinq... Ta part sur les frais de change.

Le mariage a eu lieu. Ce fut une très jolie fête. Mais depuis, dans Aculelo, pour moquer les prétentions des familles tamos, il y a un proverbe :

Si tu veux épouser une fille tamo
Deux bénédictions au moins il faut.

Le mari de quinze ans

A quarante ans, le profil busqué, le regard acéré, toujours vêtue de noir, donna Margherita avait déjà le visage, le maintien, la démarche de ces paysannes du sud de l'Italie qui, très vite, n'ont plus d'âge.

C'est aussi que la vie lui avait été rude. Restée veuve avec quatre enfants, elle avait dû peiner, et seule, pour les élever. C'est dire son courage, qu'il faut ici saluer. Courage auquel, avec le temps, était venue s'ajouter une sorte de ruse hargneuse. Tel est souvent l'effet du malheur. Ne reculant devant aucun travail qui pût assurer à ses enfants quelque bien-être, donna Margherita n'hésitait pas non plus à écrire aux journaux pour leur exposer ce qu'elle avait appris à appeler son cas. D'où, de temps en temps, un mandat expédié par quelque lecteur sensible et que donna Margherita allait toucher avec un sourire pâle sur son visage de bois.

D'où aussi, un certain jour, une lettre du député local qui, ému ou intéressé, ou à des fins électorales, offrait son appui. Sans perdre une seconde, donna Margherita avait répondu en sollicitant, pour son fils aîné, un emploi dans l'administration. C'était faire preuve de prévoyance, ledit fils aîné, à cette époque, n'ayant que seize ans. Mais, vraie paysanne, donna Margherita savait d'instinct ce que d'autres mettent des années à découvrir : que Rome est loin, que rien n'est facile et que le pouvoir ne se meut que lentement.

En la circonstance, d'ailleurs, la suite des événements devait lui donner raison. C'est aux environs de son vingt-troisième anniversaire que Giuseppe, le fils aîné en question, fut nommé employé surnuméraire adjoint à la gare du village, bâtiment modeste pour lequel, jusque-là, on s'était contenté du seul chef de gare. Donna Margherita triomphait. Elle prit l'habitude d'aller presque tous les jours à la gare pour y admirer son fils dans l'exercice de ses fonctions, lesquelles consistaient essentiellement à poinçonner les billets, une fois pour le train de sept heures douze, une fois pour le train de dix-huit heures trente-quatre, ce qui représentait une moyenne journalière de 7,3 voyageurs. Boscotrecase n'est pas Liverpool. On a peu de raisons d'y venir, moins encore de raisons de s'en aller, ces prémisses apparemment contradictoires aboutissant, comme il arrive souvent, à la même conclusion : une fréquentation ferroviaire réduite. Entre ses deux trains, Giuseppe prenait une clef anglaise et s'en allait tapoter les rails, tantôt en amont, tantôt en aval, tâche dont l'utilité principale était de lui faire prendre l'air. De loin, dans la campagne, on entendait le cliquetis de sa clef contre les rails. Donna Margherita, elle, restait dans la salle d'attente, à deviser avec le chef de gare qu'elle croyait politique d'honorer. Peu à peu aussi, tant son naturel la portait à l'activité, elle s'était mise à assumer des tâches diverses : elle balayait le quai, recollait les horaires déchirés, coltinait les sacs de la poste et se formulait la réflexion qu'une gare c'est plus vite fait qu'un ménage. Bref, donna Margherita était heureuse. Grâce au traitement de Giuseppe (et qu'il lui remettait tout entier sauf vingt mille lires qu'il gardait pour faire le jeune homme), les privations avaient disparu. Vittorio, le second fils, allait sur ses quatorze ans. Quant aux deux petites filles, elles avaient vingt-deux ans à elles deux, ce qui, comme elles étaient jumelles, leur en faisait onze à chacune.

Sauf qu'on connaît l'adage : à trop faire le jeune homme, on cesse bientôt de l'être. Un soir où il avait pris part à une sauterie sur la place, à l'occasion de la Saint-Antoine, Giuseppe rentra songeur. Le lendemain, à sa mère, il annonça qu'il voulait se marier. Donna Margherita d'abord se crêta. Giuseppe s'entêtant, elle finit par céder. Pour n'avoir eu dans sa vie que son seul mari, donna Margherita n'en savait pas moins qu'avec les hommes, il faut parfois composer. Elle accueillit très décemment sa bru (qui s'appelait Angela et qui était la fille d'un berger, homme taciturne) et lui offrit même sa propre chambre tant elle craignait que le jeune couple n'allât vivre ailleurs.

Les jeunes filles italiennes, surtout dans le Sud, c'est tout feu ou tout crème, il n'y a pas de milieu. Angela appartenait à la seconde variété. Elle avait une jolie peau blanche et de grands yeux, superbes si l'on veut, mais qui ne donnaient pas l'idée d'une très intense activité cérébrale. Elle trouva tout naturel que donna Margherita gardât les rênes du ménage et que, comme devant, elle continuât à gérer le salaire de Giuseppe. Un moment troublée, la paix était déjà revenue.

Elle ne devait pas durer. Telle est la vie pourtant : on reste dix ans sans qu'il arrive rien puis, brusquement, les événements se déchaînent, se précipitent. Le mariage avait eu lieu le 16 septembre. Le 7 novembre, par un temps particulièrement rigoureux (Boscotrecase est sur un plateau), le train de dix-huit heures trente-quatre eut cinquante minutes de retard. Employé zélé, Giuseppe l'avait attendu sur le quai. Le soir, il eut des frissons. Huit jours plus tard, il était mort. Pendant des semaines, donna Margherita en resta prostrée. Ne sortant que pour les courses indispensables et dont elle s'acquittait le visage fermé, elle s'enfermait chez elle, assise dans la pénombre, droite sur sa chaise, sans un mot, en face de sa bru, elle aussi immobile, toutes les deux le regard vide.

Puis, un matin, s'étant levée dès cinq heures, donna Margherita prit le train de sept heures douze. C'est avec un sentiment amer qu'elle tendit son billet au nouvel employé, un garçon qui avait l'air idiot et qui poinçonnait avec une lenteur ! Ce n'est pourtant pas sorcier, de poinçonner un billet.

Arrivée à la ville, donna Margherita se fit indiquer le siège local de l'administration des chemins de fer. Elle y trouva un employé gras, exténué et qui semblait frappé d'une sorte de stupeur. (Donna Margherita n'y était pour rien. C'était, chez cet homme, son naturel. Quelque chose, un jour, avait dû l'étonner. Il n'en était pas revenu.) Donna Margherita lui exposa son cas. L'employé promena un regard las autour de lui, laissa errer un moment ses mains comme des tortues au-dessus de différents dossiers, en empoigna un et, contre toutes prévisions, y trouva ce qu'il cherchait. L'affaire, énonça-t-il, était claire. Le surnuméraire adjoint Mencucetti Giuseppe *fu* Antonio étant décédé dans l'exercice de ses fonctions, les siens avaient droit à sa pension.

Pessimiste comme le sont souvent les tempéraments forts, donna Margherita s'était attendue à devoir se battre. N'ayant pas à le faire, elle soupira, se laissa aller sur sa chaise et bénit l'État. L'employé, lui, continuait à ânonner différents propos ayant trait au règlement de la pension. Donna Margherita eut soudain l'impression que, dans ce discours, quelque chose venait de bifurquer.

– Comment? Qu'est-ce que vous avez dit?

L'employé avait levé la tête. Pour un moment, il eut l'air parfaitement égaré.

– J'ai dit quelque chose?

Après quoi, il sembla recouvrer une partie de ses esprits.

– J'ai dit que la pension serait versée...

– A qui? demanda donna Margherita avec une singulière ardeur.

– A sa veuve.

– A sa veuve?

– Dame! dit l'employé.

Il abaissa sa grosse tête jusqu'au ras du dossier.

– Je vois là qu'il était marié.

Le masque de la stupeur était maintenant sur le visage de donna Margherita.

– A sa veuve? reprit-elle. Mais c'est moi qui l'ai élevé!

– Possible, dit l'employé.

– Sa place, c'est grâce à moi qu'il l'a eue.

– Je ne dis pas le contraire.

– Il n'a été marié que deux mois!

– Ça arrive.

– Elle n'est même pas enceinte!

– Ce n'est pas obligatoire.

– Et vous trouvez ça juste?

– C'est le règlement.

– Je l'ai eu pendant vingt-trois ans. Elle ne l'a eu que pendant deux mois. Et c'est elle qui toucherait sa pension?

L'employé devait avoir épuisé ses possibilités oratoires. D'un regard globuleux et sans l'ombre d'une expression, il contemplait donna Margherita. Celle-ci eut alors un geste étonnant mais qui était bien dans son génie. Elle ouvrit son sac, en tira deux billets de dix mille lires et, très carrée :

– Il y a sûrement moyen d'arranger ça.

J'ai dit : geste étonnant. L'employé, lui, avait l'air de trouver la chose assez naturelle. Mais il balança la tête. Non, il n'y avait pas moyen d'arranger ça.

– Bon! dit donna Margherita.

Qui s'en fut.

Ulcérée.

Maudissant cet État qui donnait des pensions mais qui donnait à qui il ne fallait pas. A qui ne les méritait pas. Dans le train, elle en parlait toute seule, sous l'œil terrifié d'un voyageur qui reculait dans son coin. La veuve! Quel sens cela avait-il? Qu'est-ce qu'une veuve au regard de la mère? Et une veuve de deux mois! Qui n'avait jamais fait que profiter de son fils. Qui l'avait peut-être affaibli par ses exigences. Alors qu'elle, la mère, l'avait nourri, élevé! Rentrée chez elle, c'est d'un regard noir qu'elle observa sa maisonnée : sa bru (la veuve!) qui soupirait, Vittorio qui bâillait sur ses devoirs, les deux jumelles qui s'affairaient autour d'un ménage miniature, dernier cadeau du pauvre Giuseppe. Du pauvre Giuseppe qui avait trimé pour rien, qui avait poinçonné des billets et tapoté des rails pour que sa pension, un jour, sortît de la famille et allât se promener Dieu sait où.

Puis, à un certain moment, le visage de donna Margherita s'est animé. Elle s'est penchée vers sa bru. Elle a posé sa main sur son bras.

– Il ne faut pas être si triste, dit-elle. Bientôt tu vas te remarier.

L'attaque était franche. Mais donna Margherita, on l'a vu, n'était pas femme à aller par quatre chemins. Angela leva vers elle un visage inexpressif.

– Me remarier? dit-elle. Je n'y pense pas.

– Tu connais la coutume, reprit donna Margherita.

Elle l'avait dit très posément, comme une chose qui allait de soi.

– Quelle coutume? dit Angela.

– La coutume, tiens! rétorqua donna Margherita sur le ton agacé de quelqu'un à qui on fait répéter une évidence. Lorsqu'une femme reste veuve et qu'elle est encore jeune, elle épouse le frère de son mari.

Rapide comme le pêcheur qui jette son filet, donna Margherita avait lancé un regard vers Angela. Regard qui la rassura. Angela était étonnée mais, visiblement, aucun doute ne l'effleurait.

– Tiens! dit-elle. Je ne savais pas.

Donna Margherita eut un rapide haussement d'épaules.

– Ça se fait toujours.

Ça se faisait, en effet. Mais dans la Bible. Donna Margherita l'ignorait. Avec un très sûr génie, enjambant les siècles, elle venait de la réinventer, la coutume. O robuste bon sens populaire! Cependant, les yeux fixés sur son beau-frère, Angela méditait.

– Mais c'est un gamin, dit-elle.

– Et alors? répondit donna Margherita. Vous attendrez.

Et, sur un ton de blâme :

– Tu ne voudrais quand même pas te remarier déjà maintenant ?

Très peinée :

– C'est ça qui ne serait pas bien.

Ayant ainsi amorcé un détour dans le sentiment, donna Margherita crut opportun de le prolonger.

– Pauvre Giuseppe ! dit-elle. Là-haut, ça lui fera bien plaisir.

Puis, s'adressant au jeune Vittorio :

– Et toi ? Tu es content ?

Le bout de son stylo dans la bouche, l'air abruti, Vittorio contemplait sa belle-sœur.

– Je pense bien ! dit-il.

– Tu vois, dit donna Margherita à Angela. Tout le monde est content.

Et, d'une main sûre, posant la dernière pierre de son édifice :

– Dans ces conditions, le plus simple est que tu continues à vivre avec nous.

Angela ne dit plus rien. A la fin du mois, lorsque arriva le premier mandat de la pension, c'est tout naturellement qu'elle en remit le montant à donna Margherita. Laquelle, outre l'intérêt qu'elle y trouvait, eut un mouvement d'orgueil. Cette pension, pour elle, c'était un peu de son fils. Il était juste qu'elle restât dans la famille.

Il se passa ainsi un certain temps. Tenue par son veuvage à quelque réserve, Angela sortait peu. C'était l'hiver d'ailleurs. Boscotrecase, on l'a déjà fait remarquer, est sur un plateau. En janvier, février, il y souffle une bise qui n'incite pas à la promenade. Un matin pourtant, Angela s'éveilla avec un singulier sentiment de bonheur. Des mains de donna Margherita qui allait sortir, elle prit le cabas.

– Aujourd'hui, c'est moi qui ferai les courses.

Il y avait un soleil léger, vif, posé sur les choses comme une poudre brillante. Sur la place, Angela rencontra un certain Romolo, mécanicien de son état, colosse de taille et naguère compagnon de ses jeux. Il lui fit compliment sur sa mine. Angela ronronna. Un camion traversa la place. Près de la fontaine, quelques penseurs locaux dissertaient avec abandon. Angela balançait son cabas. Romolo voulut lui prendre le bras. Elle refusa. Il insista. Elle se mit à rire. C'était la première fois depuis des mois. Romolo finit par la reconduire jusque chez elle. Là, Angela trouva donna Margherita qui la reçut fraîchement.

– Je t'ai vue, dit-elle. Avec Romolo.

– Et alors? répondit Angela en vidant son cabas.

– Tu ne devrais pas faire ça.

Angela tombait des nues.

– Pourquoi?

– Et Vittorio? dit donna Margherita.

– Qu'est-ce que Vittorio vient faire là-dedans?

– De quoi s'agit-il? dit une voix dans leur dos.

Les deux femmes sursautèrent. Le jeune Vittorio était là, sur le seuil de sa chambre.

– Rien, rien, dit donna Margherita un peu trop vite.

– J'ai très bien entendu, dit Vittorio. Et j'ai vu Romolo, moi aussi.

La mine grave, il toisait Angela.

– Pour une fois, je ne dirai rien, reprit-il. Mais il ne faudrait pas que ça se renouvelle.

Et, après un court silence qui venait là ajouter tout son

poids, il tourna les talons. Les deux femmes échangèrent un regard inégalement éberlué. Et donna Margherita eut un geste des deux mains comme pour dire : tu vois, je te l'avais bien dit.

Le lendemain, sur la place, Angela retrouva Romolo. Visiblement, il l'attendait et elle en éprouva du plaisir. Jusque-là, de très bonne foi, elle avait cru qu'après Giuseppe plus aucun homme ne l'intéresserait. Eh bien, elle s'était trompée. Avec ses un mètre quatre-vingt-dix, ses cheveux frisés, sa salopette et son sac en bandoulière qui contenait les outils de son art, Romolo lui plaisait. Son cabas entre les genoux, le dos à la balustrade qui domine la vallée, Angela s'attarda. S'attarda si longtemps qu'elle fut surprise par la sortie de l'école. Vittorio apparut sur la place, escorté par quelques camarades. En voyant Angela et Romolo, il s'arrêta. Puis, d'un geste viril, il remonta sa ceinture, marcha vers Angela et, d'un ton bref :

– Tu viens ?

Pendant le parcours, il ne dit pas un mot. Arrivé à la maison, il prit Angela par le coude, la fit se retourner vers lui et, très posément, en homme sûr de son droit, dans une nuance qui oscillait entre le conjugal et le paternel, du revers de la main, il lui assena une forte tape sur la bouche.

– Tiens ! dit-il. Je t'avais prévenue.

Il y a lieu peut-être de préciser ici les sentiments d'Angela. D'humeur facile, et aussi d'esprit lent, elle n'avait pas repoussé cette idée d'avoir à épouser son beau-frère. Ou plutôt, vu l'âge du promis, elle avait estimé qu'il serait toujours temps d'y penser et, très femme sur ce point, elle n'y avait plus pensé du tout. Pour elle, Vittorio n'était toujours que le petit frère de son mari et, à l'occasion, elle le talochait très bien. C'est dire que ce renversement de taloches la surprit – et le terme est faible. Revenue de sa stupeur, elle eut un feulement de tigresse et, les mains en avant, elle se précipita sur Vittorio. Celui-ci, successivement, tourna autour de la table, cria Maman, reprit le visage tiré du galopin qui voit poindre un ouragan de calottes et enfin se retrouva par terre, Angela sur lui et qui le tenait par les oreilles.

– Demande pardon !

– Jamais !

– Demande pardon !

– Je suis un homme...

– Un homme, ça...

Là, donna Margherita crut devoir intervenir.

– Allons ! Ça suffit. A table !

Dans l'ensemble, à donna Margherita, cette petite rixe avait bien plu. Avec une antique sagesse, elle professait que la paire de claques, c'était encore ce qu'on avait trouvé de mieux pour cimenter un ménage. Feu Antonio, son mari, avait eu aussi, parfois, la main lourde. Et c'est d'un œil matois qu'elle les lorgnait tous les deux, Vittorio la mine rentrée, Angela cambrée, insolente et qui tendait son assiette d'un bras encore frémissant. Tout cela, pour donna Margherita, était d'un excellent augure.

Il lui resta à s'étonner lorsque, l'après-midi, restée seule avec elle, Angela se plaignit, en termes vifs, de son beau-frère. Donna Margherita lui fit observer qu'il y a des choses qu'il faut comprendre. Angela lui rétorqua qu'elle ne comprenait rien du tout et eut la maladresse d'ajouter qu'elle n'avait rencontré Romolo que sur la place, au vu et au su de tout un chacun et que, dans ces conditions, elle se demandait où et en quel moment elle aurait pu s'abandonner à quelque mouvement blâmable. Donna Margherita partit aussitôt dans un discours sur la vanité des mâles. A l'en croire, l'apparence de l'infidélité était, pour un mari, aussi offensante que l'infidélité véritable et elle en connaissait plus d'un qui, entre ces deux malheurs, eût balancé.

– Mais quel mari? dit Angela excédé. Ce gamin?

Donna Margherita soupira. Décidément, pour reprendre son expression, le pain n'était pas encore dans le four. Dès le lendemain, elle se rendit chez le curé. Elle lui exposa que Vittorio et Angela penchaient l'un vers l'autre, qu'elle y consentait et que, dès lors, elle le priait de procéder à la promesse de fiançailles, cérémonie qui se pratique encore parfois en Italie et qui, sans engager vraiment, constitue pourtant un premier pas. Le curé lui objecta que, si louable que fût cette pratique, elle était rarement d'usage quand un des promis se trouvait encore sur les bancs de l'école.

– Mais Vittorio a quinze ans! rétorqua donna Margherita en anticipant de quelques mois. Et il est très avancé pour son âge.

Assertion qu'elle fortifia par diverses considérations si confuses que le curé finit par hausser les sourcils. Sachant, de par son ministère, que l'homme, hélas, n'est pas naturellement bon et que le mal sans cesse arde ses reins, il soupçonna des horreurs.

– Un moment! dit-il en levant la main comme pour arrêter un train. S'il en est ainsi, il me paraît bien dangereux de laisser ces jeunes gens sous le même toit. Ne vaudrait-il pas mieux qu'en attendant, Angela retourne chez son père?

– Ah non! dit donna Margherita avec feu. Surtout pas ça!

Renonçant à comprendre et exténué par l'éloquence de donna Margherita, l'excellent prêtre proposa un moyen terme : tout en maintenant son hostilité à la promesse de fiançailles, qu'il persistait à trouver prématurée, il promettait qu'à l'occasion, dans un de ses sermons dominicaux, il ferait allusion à la louable intention des deux jeunes gens, ce qui, selon lui, sans la consacrer, lui donnerait cependant une certaine consistance. Donna Margherita voulut bien s'en contenter et, en sortant, complétant ainsi son ouvrage, elle fit le tour des négoces pour y faire part tout ensemble de ces fiançailles et de la belle coutume qui en était à l'origine. Les négociants en furent très frappés. Certes, comme l'exposait le boucher, homme de poids et qui avait son avis sur toute chose, certes, de cette coutume, personne n'avait jamais entendu parler. Ce n'était pas une raison pour douter de son existence. On a vu des choses plus étranges et de plus curieux usages.

Ce qui fait que, la semaine suivante, s'entretenant avec Romolo sur la place, Angela eut la surprise de voir braquer sur elle quelques regards, les uns sarcastiques, les autres franchement réprobateurs. Une ménagère qui passait articula même assez haut :

– Jolie fiancée!

– Fiancée? dit Romolo en rougissant jusqu'aux oreilles.

– Ce n'est rien, dit Angela. Allons ailleurs.

Romolo ne demandait pas mieux. Ils prirent une ruelle qui descendait vers la campagne. Romolo s'offrit à porter le cabas. Angela refusa. Ils finirent par le porter à deux, ce qui était une manière de se tenir par la main. Angela riait. Puis elle s'arrêta de rire. Dans un champ d'oliviers qui, par là, bordait la route, elle venait d'apercevoir Vittorio. Le dos tourné, heureusement, appuyé contre un arbre, l'avant-bras replié devant les yeux. A une âme sensible, cette pose eût pu suggérer le désespoir du jeune Werther. Plus simplement, Vittorio jouait à cache-cache et c'était à lui de chercher, distraction en soi innocente mais qui l'était moins du fait qu'à cette heure-là, Vittorio eût dû se trouver sur les bancs de l'école. C'est là qu'Angela connut son premier mouvement de lâcheté. Il y a huit jours encore, elle aurait pris le coupable par l'oreille et l'aurait ramené à ses devoirs. Là, se sentant vaguement coupable (mais de quoi?), elle pressa le pas. Puis elle se retourna. Vittorio s'était retourné, lui aussi et, les mains aux hanches, il la regardait tandis que, surpris par son immobilité, ses collègues en école buissonnière poussaient la tête derrière les oliviers. Tous ces regards, c'était hallucinant. Angela frissonna. Romolo, lui, le cœur plein d'étoiles, ne s'était aperçu de rien.

Ce n'était encore qu'une péripétie. Il y en eut d'autres. Bien qu'Angela eût pris maintenant la précaution de donner rendez-vous à Romolo dans des endroits inattendus, une fois sur deux ou, au moins, une fois sur trois, Vittorio réussissait à les retrouver. Et il les suivait, très tranquillement d'ailleurs, pas du tout agressif, restant à une distance convenable, s'arrêtant même très bien pour donner des coups de pied aux cailloux. Mais il était là. Il avait dû se dire que si, comme l'assure le proverbe, les absents ont toujours tort, il s'ensuit que, d'une certaine manière, les présents ont toujours raison. Ce n'était pas mal vu. Pour Angela, cette seule présence était une ombre, un obstacle, un mur. Ses rendez-vous en étaient gâtés.

Si encore il n'y avait eu que Vittorio. Mais c'est que tout le monde maintenant s'en mêlait. Angela et Romolo avaient beau emprunter des sentiers écartés, ils tombaient toujours sur quelque individu qui les regardait passer avec un sourire plein de sous-entendus. Ou bien c'étaient des paysannes qui revenaient, très droites, un panier sur la tête, avec ce beau geste qui évoque une amphore. Suivant leur âge ou leur humeur, elles prenaient un air grondeur ou elles avaient un rire sournois ou elles marmonnaient un de ces propos entre dents et gosier dont les campagnes ont le secret. D'aucunes avaient même le front ensuite de s'arrêter près de Vittorio pour l'encourager dans la défense de son droit.

Si distrait qu'il fût par les beaux grands yeux d'Angela, Romolo commença à s'étonner.

– Qu'est-ce qu'ils ont, tous? Veux-tu me dire ce qu'ils ont? Et Vittorio? Pourquoi est-il toujours derrière nous?

– C'est mon beau-frère.

– Ce n'est pas une raison.

– Il tient à l'honneur de la famille.

– Ah! dit Romolo gagné à son tour par un obscur sentiment de culpabilité.

Un jour pourtant, ça finit par le fâcher tout de bon. Fatigués par une assez longue promenade, Angela et lui s'étaient assis sur un talus. A vingt mètres, les bras croisés, Vittorio les regardait, l'air de dire : alors? quand vous aurez fini... D'un geste de la main, Romolo lui fit signe de s'en aller. Vittorio ne broncha pas.

– Là, il exagère, dit Romolo. Je vais lui dire deux mots.

Le ton n'était pas tout à fait affirmatif. On eût dit que Romolo se demandait si c'était vraiment une bonne idée.

– C'est ça. Vas-y, dit Angela.

Romolo se leva. Il traversa la route. Paisible, Vittorio le regardait avancer. Romolo s'arrêta, perplexe. Comme il arrive souvent aux colosses, il avait des timidités. Puis, ce petit homme grave...

– Tu te promènes? dit Romolo pour engager la conversation.

– Non, répondit Vittorio fermement.

Un silence. Romolo se décida.

– Quand tu auras une petite amie, ça te plairait beaucoup que quelqu'un te suive?

– Je n'ai pas de petite amie.

– Bravo! reprit Romolo. A ton âge, ça vaut mieux.

Il l'avait dit sans ombre d'ironie. Le petit, cependant, en fut vexé.

– Ce n'est pas une question d'âge. Mais, avec moi, c'est le mariage ou rien.

Romolo, un moment, soupesa la proposition. Il n'y avait rien à dire. Elle était inattaquable.

– Pour se marier, il faut bien se fréquenter, dit-il assez piteusement.

Le petit beau-frère eut un sourire bref.

– Parce que tu veux l'épouser?

Pour désigner Angela, il avait eu un mouvement de menton fort cavalier.

– Oui, dit Romolo.

A l'instant, là, sur la route sèche, il venait d'en prendre la décision. Son oui s'en ressentait. C'était un oui solennel, un oui nuptial. Un oui aussi qui, à son sens, mettait un point final à l'affaire. Mais Vittorio, d'un geste ample et lent, balançait devant lui son index. Le sens de cet index ne prêtait à aucune équivoque : il était négatif.

– Je ne vais pas l'épouser?

– Non, dit Vittorio.

– Et pourquoi ?

– Parce que c'est moi qu'elle épouse.

Jusque-là, Romolo avait été calme, comme gagné par la torpeur de cet après-midi de printemps. Sur les derniers mots de Vittorio, il eut comme une secousse.

– Toi ?

– Bien entendu, dit Vittorio.

D'un pas ample, Romolo retourna près d'Angela.

– Il dit que tu vas l'épouser.

– Qu'il croit ! dit Angela.

Sur les grands traits de Romolo, passa un cyclone de soupçons.

– Et pourquoi il le croit ?

– C'est la coutume.

– Quelle coutume ?

– La coutume, tiens ! dit Angela, reprenant, sans s'en rendre compte, le ton agacé qu'avait déjà eu, sur le même sujet, donna Margherita. Lorsqu'une fille reste veuve, elle doit épouser le frère de son mari.

– Tiens ! dit Romolo.

De loin, il eut un regard pensif vers Vittorio. Puis il se gratta la nuque.

– C'est embêtant, ça, dit-il.

Cependant d'un pas nonchalant, Vittorio s'était rapproché. Arrivé à proximité et s'adressant à Angela :

– Nous rentrons ?

Angela se tourna vers Romolo. Allait-il supporter ça ? Mais Romolo ne dit rien. Brusquement, Angela fit une grimace. D'un geste vif, elle enleva son soulier et, à clochepied, le soulier brandi, elle se rua vers Vittorio. Lequel, incontinent, détala. Arrivée au tournant de la route, Angela s'arrêta. Vittorio était déjà loin. De l'autre côté, debout dans le jour qui déclinait, Romolo avait l'air perdu. Furieuse, Angela rentra chez elle.

Cette histoire, sans doute, durerait encore s'il n'y avait pas eu donna Margherita, son sens aigu des réalités et son énergie jamais au repos. Après le douzième échange de claques entre Vittorio et Angela (d'un fâcheux exemple : les petites jumelles elles-mêmes commençaient à se prendre aux cheveux), elle commença à se formuler des réflexions. Un matin, le visage fermé et munie de quelques provisions de bouche, donna Margherita reprit le train de sept heures douze. Cela a fini par la mener à Rome. A seize heures quinze, bravement, elle franchissait le haut porche de la Chambre des députés et, à un huissier, elle demandait à voir le député qui, on s'en souvient, était intervenu pour la nomination du pauvre Giuseppe. Pendant trois bons quarts d'heure, on a pu les voir aux prises, dans de larges fauteuils de cuir, le député gesticulant, prenant le ciel à témoin, donna Margherita impassible, répétant inlassablement ses arguments. Le député a fini par céder. Il a tendu à donna Margherita sa large paume loyale. Il venait de promettre que, dès sa dix-huitième année, Vittorio serait nommé au poste qu'avait si brièvement mais si brillamment occupé son frère. Donna Margherita est rentrée. Angela et Romolo ont pu se marier. Ils sont heureux. Donna Margherita, elle aussi, est satisfaite. Certes, en attendant que Vittorio touche son traitement, elle a dû reprendre des travaux chez les voisins. Ce n'est qu'un mauvais moment à passer. Deux ou trois fois par semaine, elle se rend à la gare pour voir si le bâtiment résiste aux intempéries, s'il est bien tenu et si le quai est régulièrement balayé. A l'occasion, elle réprimande l'employé actuel. Lequel s'étonne de ne pas recevoir sa titularisation. Ça lui donne du souci. Vittorio non plus n'est pas tellement satisfait. De temps en temps, en sortant de l'école où entre deux parties de cache-cache, il confie à ses camarades :

– Dommage! Je m'y étais habitué, moi, à cette Angela. Il va me falloir en chercher une autre.

C'est lui maintenant qui fait figure de veuf. A l'école, ça lui donne un certain prestige.

La coupe

– Non, dit-elle.

Gladys avait le nez retroussé. Son humeur, à en juger par les apparences, l'était aussi. Pour l'instant, assise devant la coiffeuse, le visage fermé, les lèvres serrées, la main droite à la hauteur, à peu près, du menton, elle semblait très absorbée par l'examen de ses ongles sur lesquels du vernis achevait de sécher.

– Non? dit son mari.

– Non.

Pour n'être pas varié à l'excès, ce dialogue pourtant, on le sentait bien, était lourd de conséquences. Gladys souffla sur ses ongles et, d'un pinceau précis, elle fit une retouche à l'auriculaire. Aux seules fins de montrer qu'il était aussi calme qu'elle, Robert se pencha vers le miroir, au-dessus de la cheminée, et se passa la main sur les joues. Dans le miroir, il y avait non seulement son visage, un bon gros visage joufflu, mais aussi un large morceau de la chambre. Qui, elle, était Louis XV. Par la fenêtre ouverte, on apercevait une longue pelouse que bordaient, au fond, trois grands cèdres. Robert se redressa, soupira.

– Alors, il n'y a plus qu'une solution, dit-il.

On entendit le heurt léger du flacon de vernis que Gladys posait sur le marbre de la coiffeuse puis, du côté des cuisines, un bruit de voix. Gladys leva les yeux. Son mari lui tournait toujours le dos. Devant lui, il y avait une petite pendule dorée, à colonnes, qui marquait dix heures quinze, indication à laquelle on aurait tort de se fier, ladite pendule étant arrêtée depuis la fameuse nuit où, sur le chemin de l'exil, Charles X avait couché dans cette même chambre. Faut-il croire que quelqu'un, dans le château, avait eu la pieuse pensée d'arrêter la pendule sur cette heure historique? Ou peut-on supposer que Charles X avait voulu la remonter, cette pendule, qu'il s'y était mal pris et que, n'ayant pas les talents de bricoleur de son malheureux frère Louis XVI, il n'avait pas pu réparer le dégât? L'Histoire est pleine de ces mystères.

– Une seule solution, reprit Robert en se tournant vers sa femme.

– A savoir?

– A savoir le divorce.

Gladys se leva, tapota les plis de sa jupe rose.

– Va pour le divorce, dit-elle.

D'un haussement de ses sourcils, Robert marqua qu'il s'étonnait.

– Tu parles sérieusement?

Gladys, à son tour, s'était mise devant le miroir. Comme ranimée par son image, elle partit dans un discours rapide.

– Très sérieusement. Qu'est-ce que tu veux? Il faut parfois trancher dans le vif. On s'aime, on se marie. On ne s'aime plus, on divorce.

– Oh, ça va, dit Robert maussade. Je te fais grâce des commentaires.

Gladys releva encore son petit nez déjà relevé, se dirigea vers la porte.

– En attendant, allons à ce déjeuner, dit-elle.

Puis, se retournant :

– Je suppose que tu ne vas pas annoncer ça maintenant. Pour l'oncle Étienne, ce n'est pas le moment.

– Bien entendu, dit Robert.

Il avait pris le beau visage tendu qu'il se composait lorsqu'il pénétrait dans le bureau du président-directeur général de sa société. Il devait être troublé cependant. En sortant, il tourna le commutateur alors que la lumière n'était pas allumée. Il s'en aperçut, rectifia la chose.

– Suis-je bête !

– Ça oui, dit Gladys qui, le précédant, n'avait rien vu.

– Je parlais du commutateur.

S'ensuivit une explication confuse qui leur prit tout l'escalier.

– Quel commutateur ?

– J'avais tourné le commutateur.

– Pourquoi ? Il n'y avait pas de lumière.

– Je m'en suis aperçu, figure-toi.

– Alors pourquoi le commutateur ? Tu es drôle.

– Je ne suis pas drôle du tout !

Il avait répondu si hargneusement que Gladys se mit à rire. Ils débouchaient dans le grand salon doré où déjà pépiaient trente personnes.

– Bravo ! dit l'oncle Étienne. Ce que j'aime chez ma petite Gladys, c'est qu'elle est toujours de bonne humeur. Foin des longues figures ! Chez moi, je veux qu'on s'amuse.

*

Soixante-douze ans, la taille courte, le crâne chauve, une barbe en collier avec, au-dessus, une expression à la fois naïve et rieuse, la démarche de Charlot car, aimant ses aises et insoucieux de l'élégance, il prenait ses chaussures deux pointures au-dessus, l'oncle Étienne évoquait assez bien un père Noël qui aurait rétréci à l'usage ou, mieux encore, un de ces bienfaisants kobolds des légendes germaniques. Ce physique ne trompait pas. Foncièrement bon, l'oncle Étienne aidait volontiers ceux de ses parents ou amis qui n'avaient pas eu l'esprit, comme lui, de se marier dans les pâtes alimentaires. La tante Madeleine, en effet, était née Cassu. L'éloge des pâtes Cassu n'est plus à faire. A base d'œufs frais... mais passons. Précisons d'ailleurs que s'il avait bien épousé Madeleine Cassu dans le but principal d'avoir de quoi refaire la toiture de son château, un des plus beaux de Normandie, l'oncle Étienne, tant il avait le caractère accommodant, s'était bientôt mis à adorer sa femme et, sans en mettre la main au feu, on aurait juré qu'il lui avait toujours été fidèle. Aussi, tous les ans, pour la Sainte-Madeleine, organisait-il, dans son château, une fête qui durait deux jours pleins. Cette fête, c'était sa grande affaire et, s'il pardonnait facilement – ou plutôt s'il oubliait assez vite – les offenses, il y en avait une où il se montrait intransigeant : c'était que quelqu'un se mît dans le cas de manquer à sa fête. En 1988, il avait été jusqu'à rayer de son testament sa propre filleule parce que, l'imprévoyante, ayant accouché la veille, elle n'avait pas pu venir. En revanche, ayant su que son vieil ami Charles de Coustou avait, en l'honneur de la fête, renoncé à un voyage aux États-Unis qui pouvait sauver son usine (les feuillards Coustou), il en avait été si touché qu'il avait renfloué l'entreprise de ses propres deniers. D'autre part, conscient de ce que sa fête normande pouvait offrir d'insuffisamment attrayant pour ses parents et amis qui, étant du bon monde, donnaient assez dans la dissipation, il s'ingéniait, chaque année, à ménager quelque surprise. Cette fois encore, rien qu'à voir sa bonne tête plissée par la malice, il était clair qu'il y avait pensé. Il allait de groupe en groupe, se haussant sur la pointe des pieds pour assener des tapes dans le dos, parsemant son parcours d'exclamations cordiales.

– Ce bon vieux Charles!

– Ma petite Yolande!

Sur quoi, il fut annoncé, en termes plus choisis, qu'on pouvait passer à table. Sur le seuil de la salle à manger, il y eut une rumeur. Au lieu du long couvert des années précédentes, n'étaient disposées que de petites tables, de deux couverts chacune.

– Oh! Par petites tables! s'exclama Yolande du Couic'h en battant des mains (ce qui, avec son profil de cheval, lui allait comme un coup de poing). Méchant Étienne! Avec qui m'avez-vous mise?

– Tu vas voir, dit Étienne.

Déjà elle avait vu. La femme du monde, comme on sait, a le regard de l'épervier.

– Avec Ernest! dit-elle d'une voix que la stupeur portait jusqu'au suraigu.

Il y a peut-être lieu de préciser que cet Ernest était son mari.

– Et moi avec Gladys! dit Robert.

Sous le dôme ovoïde de son crâne, l'oncle Étienne rutilait de bonheur.

– Eh oui, mes chers amis! Voilà ma surprise. Vous me connaissez. Je suis un original. J'ai souvent été heurté par cette cruelle coutume qui, dans les dîners, sépare les couples. Moi, je les ai réunis. A chaque table, le mari et sa femme, personne d'autre. J'ai cru que c'était une jolie pensée pour une fête en l'honneur d'un vieux couple heureux.

Sur sa dernière phrase, il avait mis une touche d'émotion. Il faut bien dire qu'elle fut perdue.

– Et les célibataires? demanda encore Yolande.

Ce fut la piquante Sarah du Mousson, une petite-nièce d'Étienne, qui répondit.

– Nous avons notre table à nous, là, au milieu. Et l'oncle nous a chargés d'une mission particulière.

L'oncle Étienne leva les deux mains.

– Pas un mot de plus! Ce sera ma deuxième surprise.

Il ne restait qu'à s'asseoir. On s'assit.

– Eh bien! dit Robert en dépliant sa serviette.

– Tu en fais une tête!

– Il y a de quoi, avoue. Je décide de divorcer...

Gladys posément rectifia.

– Nous décidons de divorcer.

Pour bien marquer la nuance et dans un mouvement d'une cruelle douceur, elle posa sa main sur celle de son futur ex-mari. Et elle s'arrêta, étonnée. A la table des célibataires, Sarah du Mousson avait surpris son geste et, se penchant vers son voisin, elle lui dit quelque chose. Quelque chose qui devait présenter son intérêt car, après un coup d'œil dans la direction de Gladys, le voisin, à son tour, s'était penché vers son autre voisine.

– Bon, enchaîna Robert qui n'avait rien vu. Nous décidons de divorcer et c'est le jour qu'on choisit pour nous coller l'un à côté de l'autre.

Le comique de la situation lui apparaissant enfin, il rit. Dans son esprit, c'était le rire de Paillasse, chargé d'une amère ironie. Seulement, garçon simple, Robert n'avait qu'une seule façon de rire : le bon rire franc. Du côté des célibataires, il y eut une rumeur et, attendris de voir leur neveu si enjoué, l'oncle Étienne et la tante Madeleine lui dédièrent un regard affectueux.

– Alors? dit Gladys. Parlons de ce divorce.

– Bien! dit Robert, l'air zélé. D'abord, je n'ai pas besoin de le dire, je suis prêt à assumer tous les torts.

– C'est trop aimable à toi, dit Gladys avec une ironie infinie.

Dans les discussions de ce genre, il n'y a pas de milieu : ou on se jette les assiettes à la tête ou on se parle comme des convalescents. En plein déjeuner, et déjeuner de fête, il valait mieux s'en tenir à la seconde méthode.

– Et ça prendra combien de temps, tu crois?

– Trois mois, dit Robert qui n'en savait rien.

– Trois mois seulement? C'est merveilleux!

Elle l'avait dit assez haut. Cela fut remarqué. Il faut dire que, dès le premier plat, il était apparu que la surprise de l'oncle Étienne ne valait pas celles des années précédentes. A part l'oncle lui-même qui jabotait tendrement avec sa femme, à part les huit célibataires toujours plongés dans leurs chuchotis, à part enfin Gladys et Robert, l'animation était réduite et on eût même dit que, de table en table, passaient de grands icebergs de silence. L'excellent Coustou avait bien énoncé un de ces propos qui, dans les dîners en ville, lui valaient une réputation de brillant causeur. Un bref regard de sa femme lui avait fait comprendre qu'ayant eu cinquante fois l'occasion d'entendre ledit propos, elle dispensait son bon Charles d'en poursuivre le développement. A la table voisine, Aldeberte de Foix-Lavagne avait mis sur le tapis, ou plutôt sur la nappe, la conduite d'une de ses brus et s'était entendu répondre par son mari que, franchement, ce n'était pas le moment. Quant à Yolande, si elle regardait son mari, c'était pour le comparer – et pas en bien – avec Anthéaume Pire qui, à trois tables de là, nourrissait envers sa femme des sentiments parallèles. Anthéaume et Yolande n'étaient amants que depuis trois semaines. On comprendra cet accès de sensibilité.

C'est au milieu de ces diverses variétés de silences qu'on entendit un joli rire de Gladys, un rire qu'on pouvait même qualifier de perlé.

– Ah bravo! dit Robert. Je vois que tu prends bien les choses.

– Moi? Mais non. Qu'est-ce que tu vas chercher?

Elle avait très bien dit ça, avec une expression câline. De loin, l'oncle Étienne adressa un signe à Sarah qui, par signes également, lui signifia qu'elle était bien d'accord.

– Quels torts veux-tu que je prenne? Adultère, coups, injure grave?

Le visage avenant, penché vers sa femme, Robert avait l'air de lui laisser le choix entre un séjour à Megève et un été au Lavandou. Gladys eut un beau sourire.

– Ce sera comme tu veux, mon chou. Pourvu qu'on y arrive...

– L'adultère? Mais avec qui? Avec Yolande?

Cette idée, pendant un moment, les amusa.

– Non, tiens! Je préfère encore les sévices. Tu diras que je te rouais de coups.

– Ça, on le croira, rétorqua Gladys. Avec ta tête de boucher!

C'était un cri du cœur. Le regrettant, elle pinça la joue de son mari.

– Gros boucher, va!

A la table des célibataires, tous les regards étaient tournés vers elle.

– Oh, dit-elle agacée. Qu'est-ce qu'ils ont, les jeunes? On dirait qu'ils nous surveillent.

– Bah! dit Robert en attaquant son omelette norvégienne.

Brusquement, au milieu d'un silence, on entendit une voix rageuse.

– Ça va! Tu me rases!

C'était Gaston de Foix-Lavagne qui explosait. D'un seul mouvement, les huit têtes des huit célibataires avaient changé de direction. Gêné, Gaston de Foix esquissa un geste espiègle.

– Nous discutions, dit-il.

Les huit célibataires hochèrent leurs huit têtes.

– Quant à l'appartement..., reprit Robert.

Gladys posa la main sur le bras de son mari, se pencha, eut un sourire éclatant.

– Tu me le laisses, bien entendu. Tu es un gentleman.

– Ah pardon! dit Robert. Cet appartement...

Sur quoi, du côté des célibataires, il y eut un brouhaha. Et Sarah qui s'exclamait :

– Eh bien, c'est voté!

L'oncle Étienne s'était levé.

– Mes chers amis, voici ma deuxième surprise.

Sarah s'était levée aussi. C'était une longue fille avec des yeux en amande et de grands gestes gauches et gracieux.

– Mesdames, messieurs, dit-elle, chers parents, cousins et amis, pendant tout ce déjeuner, vous l'aurez remarqué, nous n'avons pas cessé de vous observer.

Son voisin chuchota quelque chose. Sarah se mit à rire.

– Vous, taisez-vous ! Mesdames, messieurs, si nous avons agi ainsi, ce n'est pas par indiscrétion. Loin de nous cette vilaine pensée. Mais c'est parce que notre cher oncle nous avait chargés, nous les célibataires, d'une mission de confiance. Il nous a chargés de choisir, dans cette belle assemblée, le couple le plus animé, le couple qui a encore tant de choses à se dire, le couple le plus épris, le plus uni, bref, mesdames, messieurs, en deux mots comme en cent, le meilleur couple. Et, à l'unanimité...

Elle se pencha, prit sur la table une coupe en argent.

– ... nous avons décidé de décerner la coupe du meilleur couple à Robert et Gladys.

Il y eut des applaudissements, tempérés par quelques ronchonnements : l'idée ne plaisait pas à tout le monde.

– Pendant tout le déjeuner, mesdames, messieurs, Gladys et Robert n'ont pas cessé de se parler, de se sourire, de se prendre la main. Dieu nous pardonne, nous avons même surpris un pincement de joue. Honneur à cette joue ! Honneur à Gladys et Robert ! Honneur au couple d'amoureux !

La coupe tendue devant elle, Sarah s'avançait vers Gladys. L'oncle Étienne arrivait à son tour, les bras ouverts tandis que la tante Madeleine essuyait une larme. Douce larme !

Quelques heures plus tard, Gladys et Robert se retrouvèrent dans leur chambre Louis XV. Gladys posa sa coupe sur la petite table ronde, alla vers le miroir, se tapota les cheveux.

– Alors? Et ce divorce? dit-elle.

Robert la regarda. La pendule dorée marquait toujours dix heures quinze.

– Avec cette coupe, dit-il, nous allons avoir l'air malins.

Les couloirs d'Amalfi

Mais je t'ai cherchée! Je t'ai cherchée pendant deux heures! Qu'est-ce que je dis, deux heures, il était quatre heures quarante quand l'autocar a quitté Positano, nous avons dû arriver à Amalfi bien avant six heures, il est neuf heures moins dix et, depuis, je n'ai pas arrêté. J'aurais mieux fait, d'ailleurs. Amalfi, c'est le labyrinthe, le dédale, c'est le manège. Tu tournes, la ruelle tourne aussi, finalement on ne sait plus qui tourne. Comme Galilée. Dans un labyrinthe, lorsqu'on cherche quelqu'un, la seule méthode, c'est de s'arrêter. Je me serais assis là, à la terrasse de ce café. J'aurais attendu. Et j'aurais eu les gens pour me distraire. Mais non! Qu'est-ce que tu vas chercher? J'aurais été inquiet aussi. Mais inquiet assis. Et moins longtemps. Parce que tu aurais bien fini par passer devant moi. Mathématiquement, tu devais passer. Tu penses bien que si, dans une si petite ville, nous avons mis trois heures pour nous retrouver, c'est que, selon toutes probabilités, nous avons cheminé l'un derrière l'autre. Le labyrinthe, je te dis, c'est tout le principe du labyrinthe. C'est ta faute aussi! Pourquoi es-tu partie? Enfin, nous étions là, au pied de l'escalier, devant la cathédrale. Mais non, elle n'est pas admirable.

Elle ne peut pas, elle est de mil huit cent quatre-vingt-quatorze. Reconstituée, bon, d'accord, très bien reconstituée mais mil huit cent quatre-vingt-quatorze! Ce n'est pas une époque, ça. Il y a l'escalier, je ne dis pas. Sur l'escalier, rien à dire. Je me demande si, dans le monde, il en existe un autre de cette taille, d'une seule volée. Tiens, j'aurais dû compter les marches. Il y en aurait une centaine, je n'en serais pas étonné. Bref, nous étions là quand je t'ai demandé dix minutes pour aller voir le cloître. Mais non, je ne te reproche rien! Tu étais fatiguée, la chaleur, toutes ces marches à monter, je comprends très bien. Mais moi, j'avais envie de le voir, ce cloître. Il est authentique, lui. D'époque. Regarde le guide. Bon, d'accord, d'accord, je suis resté plus de dix minutes. C'est à cause des colonnes. Les colonnes du cloître, tiens! Figure-toi que ces colonnes, eh bien, comme souvent les colonnes, chacune est reliée à sa voisine mais en même temps, l'arc s'en va rejoindre une autre colonne, beaucoup plus loin, la cinquième exactement, je ne sais pas si je rends bien l'idée. Ce qui fait que, d'abord, on ne comprend pas, on voit bien qu'il y a un ordre, un calcul mais on ne voit pas lequel. Mais non, je ne m'agite pas pour un rien. Je t'assure, c'est curieux. Et c'est ça qui m'a retardé. J'ai voulu faire un croquis. Je n'y arrivais pas. Ce n'était quand même pas une raison pour t'en aller. Tu t'ennuyais, bon. Tu aurais pu ne t'écarter que de quelques pas. Ma tête quand je ne t'ai plus retrouvée. J'ai pensé que tu avais voulu aller voir les magasins. J'ai pris la grande rue, enfin, grande par manière de dire, par comparaison, avec ces arcs encore, qui enjambent la rue. Et toutes ces charcuteries! Tu as remarqué toutes ces charcuteries? Puis je suis revenu sur mes pas. J'ai pris une ruelle à droite, un couloir plutôt, qui grimpait, sous une voûte. Et c'est là que ça a commencé. La magie.

Le vertige. Le cauchemar. Tiens, pour te dire tout de suite le plus curieux... Non, ce n'était pas dans cette ruelle-là, c'était dans une autre, un peu plus loin. Je la prends, je tourne à gauche, je tourne à droite, je monte un escalier et tu sais où je me retrouve? Dans une chambre! Une vraie chambre! Dans un appartement. Mais non, ce n'était pas une pute. Il n'y avait personne. Une chambre bien honnête, bien rangée, un canapé, des chaises. Et moi au milieu, comme un imbécile, à me demander comment j'étais là. Il y a des moments comme ça, dans la vie, ça ne t'arrive jamais à toi? où on se dit : ce n'est pas possible, je rêve, j'ai dû avoir un moment d'absence. C'était ça, pour moi, dans cette chambre. Mais non, je ne suis pas toujours distrait. Là, en tout cas, je n'étais pas distrait. J'avais suivi un couloir et je me retrouvais dans une chambre, c'est tout. En refaisant le chemin en sens inverse, j'ai bien regardé et je n'ai toujours pas compris à quel moment j'avais quitté la ruelle pour la maison. Même pas une marche. De plain-pied. Une porte mais qui était ouverte, rabattue à l'intérieur, que je n'ai remarquée qu'en sortant. Et en redescendant, j'en ai vu dix autres, de ces portes, fermées celles-là, mais, elles aussi, au ras de la ruelle, comme si ces chambres en faisaient partie. Avec tous ces logis, les uns sur les autres, les uns dans les autres, dont on ne peut pas deviner où ils commencent ni où ils finissent. Tiens, un moment, sur une petite place qu'il y a par là, je te montrerai s'il nous reste le temps, la place des Doges. A propos, tu savais qu'à Amalfi, jadis, il y avait des doges? Comme à Venise. Donc, sur cette place, un moment, j'ai levé les yeux vers une fenêtre. Mais non, il n'y avait pas une bonne femme! Toi alors! Puis j'ai essayé de trouver à quelle porte elle correspondait, cette fenêtre. Pas de porte. Aucune porte. Une façade nue, plate, tout le rez-de-chaussée sans une ouverture. Comment y arrivait-on à cette fenêtre? De l'autre côté sans doute, dans l'autre rue. Mais comment la trouver? Tu aurais été à cette fenêtre, tu m'aurais appelé au secours, je n'aurais pas su comment te rejoindre. Moi, ça me fout des angoisses, ces trucs-là. C'est peut-être pour ça qu'ils parlent tant, les Italiens, qu'ils parlent si haut, qu'ils gesticulent. Pour chasser l'angoisse, pour la déranger, la bousculer, pour l'acculer dans un coin. Une place pourtant... Une place, ce devrait être la liberté. Mais moi, entre ces façades comme des falaises, je me sentais au fond d'un puits. C'est peut-être ça, la liberté : une angoisse. La liberté, c'est tout ce qu'on veut. Tout ce qu'on veut, c'est l'angoisse... J'ai pris une autre ruelle, en escalier aussi, qui grimpait, en tournant. Voilà que descend sur moi un ballon, tu sais, un ballon d'enfant, rouge et vert, qui descendait lentement, tout seul, avec des arrêts, des hoquets. Puis est arrivée une petite fille. Elle a pris son ballon. Mon angoisse est partie. Elle l'a pris, elle m'a regardé. L'angoisse revenait. J'ai continué. Je me suis retrouvé derrière une bonne femme qui chantait. J'essayais de la dépasser. Je disais : permesso, permesso. Rien à faire. Elle n'entendait que sa chanson. A gauche de la ruelle, à gauche du couloir, par des fenêtres en demi-lune, au ras du pavement, en contrebas, je voyais des salles, des ateliers, avec des barques pas terminées, des armoires, des statues, des grands coups de jour ou des pans d'obscurité et des hommes comme des ombres. J'avais l'impression de cheminer dans des oubliettes. Et quand, pour un moment, la ruelle n'était plus voûtée, le soleil tout en haut, tout en haut des étages, comme une main sur la margelle d'un puits. Enfin la femme s'est arrêtée devant un escalier où d'autres femmes, une dizaine, étaient étagées. Qui parlaient, qui parlaient très vite, les têtes rapprochées. Ou une qui pleurait, le visage droit. J'ai compris qu'il s'agissait d'un mort, de quelqu'un qui était mort, derrière une porte verte, en haut des marches. Puis elles se sont arrêtées de parler et elles me regardaient comme si elles attendaient de moi quelque chose. Tout ça formait comme un bouchon qui barrait la ruelle. J'ai pu passer. Pour me retrouver derrière une autre femme qui, heureusement, marchait plus vite et qui, en passant devant une petite statue de la Madone, avec une bougie devant, lui a lancé un baiser, du bout des doigts, d'un geste sec. J'ai pris un couloir un peu plus large. A mon idée, d'après l'orientation, il devait me ramener à l'escalier devant la cathédrale. Pas du tout. Il tournait à gauche, puis à droite, et encore à droite. Je devenais toupie. Des murs blancs, chaulés, qui n'en finissaient pas, tout ça éclairé à l'électricité, une lumière blanche, comme dans une clinique. Je pensais à toutes ces maisons, à ces tonnes de maisons en dessous desquelles je me faufilais comme un rat. Et je pensais à toi, qui devais me chercher, t'inquiéter. Puis j'ai entendu des voix, des voix qui n'avaient pas l'air vraies, comme un nuage de voix, je ne sais pas si je rends bien l'idée. Et je suis passé devant une chapelle, enfin, je dis chapelle, un carré, un petit carré, comme un trou ménagé dans ce tas de maisons, avec un prêtre et des femmes qui marmonnaient les répons. J'ai continué, je me suis encore perdu, je suis repassé devant la chapelle. Plus personne. Même pas deux minutes plus tard. Les femmes, le prêtre, tout avait disparu. Il n'y avait plus que la petite lumière rouge devant l'autel. Comme si j'avais rêvé. Puis, au moment où je ne m'y attendais plus, je me suis trouvé devant l'escalier de la cathédrale. Une surprise : la nuit était tombée. Plus rien n'était pareil. Les grands lampadaires étaient allumés. Le restaurant, là, avait sorti ses tables et il y avait un homme qui mangeait tout seul, au milieu des passants. Et toi qui étais là. Où étais-tu passée? Pendant deux heures? Toi aussi, c'est comme si tu avais changé. Mais non, je ne veux pas dire... Qu'est-ce que tu vas chercher! Bon, d'accord, je me suis perdu. Je me suis vraiment perdu. Veux-tu que je te dise : c'était comme si je n'étais plus avec moi.

La croix des vaches

A trente-deux ans, sain de corps et d'esprit, assez beau garçon, dans le genre sévère, la lippe dure, don Carmine, trois fois déjà, avait subi les rigueurs de la justice. L'énoncé de sa quatrième condamnation, à un an ferme, pour un vol de pneus, ne lui arracha pas un soupir. Très digne, il salua le juge (qui, machinalement, lui rendit son salut), remit son feutre mou et, escorté de deux carabiniers, il sortit de la salle. Dans le couloir, il vit un groupe composé de sa mère, donna Cecilia, de Mariuccia, sa fiancée, et de quelques amis. En vrai chevalier et malgré les menottes qui le reliaient à un des carabiniers, don Carmine porta deux doigts à son feutre mou. Avec une mère aimante et une fiancée inconsolable, don Carmine était tranquille pour les colis. Son séjour en prison serait supportable et il pourrait même faire le grandiose en régalant ses compagnons de cellule.

Il reste alors à imaginer les sentiments de don Carmine lorsqu'un jour, trois mois plus tard, au parloir, le visage tragique (donna Cecilia, il est vrai, prenait le masque de la Pietà pour dire que les tomates avaient augmenté), sa mère lui apprit que Mariuccia le laissait tomber, qu'elle l'abandonnait, qu'elle venait d'engager sa parole avec un autre et, trahison plus noire, affront plus cuisant, qu'elle avait porté son choix sur un honnête homme, un travailleur, un commis de boutique, un ver de terre enfin qui, non seulement n'avait jamais tué personne (ce qui, tout bien pesé, était le cas aussi de don Carmine), mais qui n'avait même jamais menacé de le faire. Don Carmine en fut ulcéré. Ce n'était pas qu'il fût si épris, non, un homme de caractère ne donne pas dans ces godans-là et il laisse les orages de la passion aux commis de boutique. Mais l'affront restait grave. Même en prison, les nouvelles vont vite. Dans trois jours, tout le monde saurait que don Carmine était trahi, berné, supplanté. Les gardiens eux-mêmes, trop heureux de rabattre sa superbe, ne manqueraient pas d'y faire allusion. Cela pouvait gâter tout son séjour dans les geôles, cette affaire-là, et même, d'une manière plus générale, nuire à sa figure dans le siècle.

Pendant toute la nuit, à croupetons sur sa paillasse, le feutre mou rabattu sur ses yeux, don Carmine remâcha de sombres pensées. Vers l'aube, il s'assoupit. Comme Napoléon, il se réveilla le cerveau dégagé. En quelques mots, il fit part à ses codétenus de la trahison de Mariuccia. Sans accabler la malheureuse, à l'en croire victime de ses sens, il précisa aussitôt qu'elle ne perdait rien pour attendre et que, dès sa sortie de prison, foi de don Carmine, il irait la marquer. Avec la croix des vaches en travers de la joue, on verrait bien si Mariuccia trouverait encore un travailleur pour l'épouser. Et s'il l'épousait quand même, au moins serait-ce dans la tradition, les travailleurs, comme on sait, n'ayant droit qu'aux restes. C'était, fort habilement, substituer une nouvelle à une autre. Très frappés, les codétenus commentèrent le projet de vengeance plus que la trahison.

Avant de porter ici un jugement sur la conduite de Mariuccia, il convient de préciser les circonstances. Il existe une morale des frontières : elle est parfois indécise. Vivant aux confins de deux nations, il arrive que les gens ne sachent pas toujours très bien aux lois et aux us de laquelle il leur faut se conformer. Mariuccia était une de ces frontalières : l'immeuble où elle habitait avec les siens se trouvait au coin et donc à la limite de la via dei Rigattieri et du vicolo della Croce. En apparence, ces deux ruelles sont sœurs : étroites, encombrées, sans trottoirs, le pavé inégal et tendues de semblables lessives. Mais, via dei Rigattieri, les négociants sont bavards, les passants gesticulent et les hommes, sans veston, y fourragent avec abandon, sous leurs gilets de corps, l'épaisse toison de leur poitrine. C'est le débraillé de la vertu. Vicolo della Croce, si les femmes sont aussi bruyantes, les hommes sont plus réservés, ils portent cravates, souliers jaunes, leurs regards sont plus lourds et jaugent, pèsent, supputent. Ce sont les airs que se donne le vice. Enfin, le vice... Le vice n'a rien à voir là-dedans. Disons plus simplement que la via dei Rigattieri est une rue d'honnêtes gens, le vicolo della Croce un repaire de mauvais garçons.

D'où, chez Mariuccia, cette âme déchirée. La fenêtre de sa chambre donnait sur le vicolo della Croce, le porche de sa maison s'ouvrait sur la via dei Rigattieri. Il y avait là de quoi brouiller l'esprit. Le porche, pendant longtemps, l'avait emporté. Petite fille, sous la férule de sa mère qui donnait dans la vertu et son père vivant encore, Mariuccia n'avait joué qu'avec les enfants honnêtes. Mais enfin, dès que manquent les douaniers, on sait ce que devient une frontière : une passoire. Ajoutons, dans le chef de Mariuccia, un caractère porté vers l'indépendance, l'attrait des terres étrangères, le prestige du fruit déconseillé. Ajoutons enfin que, vicolo della Croce, il y avait un cinéma tandis que, via dei Rigattieri, il n'y en avait pas, tant il est vrai que, trop souvent, la vertu néglige sa propagande. Un soir, vers ses dix-neuf ans, revenant précisément du cinéma, Mariuccia avait eu droit, de la part de don Carmine, à un long sifflement qui constituait une déclaration en due forme. Le lendemain, la rencontrant, don Carmine avait développé sa pensée. Le samedi suivant, c'est avec lui que Mariuccia était allée au cinéma. Dans cette affaire, c'étaient uniquement les charmes de don Carmine qui avaient opéré, non sa réputation, sa doctrine, son mode de vie. Fragiles amours que celles-là, où seul parle le physique et où, dès qu'il manque, tout se tait. Une fille raisonnable (j'entends une fille du vicolo des mauvais garçons) aurait conçu une certaine fierté de savoir son homme dans les fers. Cette fierté et l'estime du quartier l'eussent soutenue dans son chagrin. Sentimentale, Mariuccia se contentait d'être désolée. Tristesse et fragilité, c'était deux fois appeler le consolateur. Le consolateur était venu sous les traits de l'excellent Sebastiano, le commis de boutique. De soupir à sourire, le pas est bientôt fait. Au bout de trois mois, Mariuccia avait oublié don Carmine, son regard lourd et sa moustache agréable. Et sa mère, neuf jours de suite, avait porté un cierge à la Madone de Piedigrotta.

Pendant un temps, l'affaire en était restée là. Son feutre mou sur la tête, don Carmine saucissonnait dans sa prison. Mariuccia s'occupait de son trousseau et, le dimanche, avec Sebastiano, elle allait se promener du côté de Posillipo. Bien entendu, la menace de don Carmine lui avait été rapportée. Elle ne s'en était pas émue. (Elle avait un joli visage, Mariuccia, rond et doré. Des joues comme la pêche, un duvet léger qui faisait rêver et le menton potelé des amoureuses.) Grâce au ciel, don Carmine ne serait pas libéré avant décembre. Le mariage avait été fixé au 3 octobre et, dès le lendemain, les nouveaux époux partiraient pour Sorrente où Sebastiano disposait d'une nombreuse parentèle et où il comptait s'établir, à son compte, dans la primeur. Les mauvais garçons napolitains sont de tempérament casanier. Don Carmine était homme à risquer la prison pour venger son honneur. Il n'était pas homme à faire le voyage jusqu'à Sorrente.

Sauf que, cette année-là – grande cause, petits effets –, il y eut l'élection d'un nouveau président de la République et, par voie de conséquence, une amnistie. Don Carmine était dans les conditions requises. Le 14 septembre, il se retrouva sur le seuil de la grande prison de Poggiorale. A trois pas, sous un soleil éclatant, l'attendaient sa mère, son oncle, don Procopio, et deux amis. Les congratulations effectuées et une pensée émue ayant été dédiée à la personne du nouveau président de la République, donna Cecilia fit descendre sur son visage, comme un rideau, son masque le plus sévère.

– Maintenant, chez Mariuccia! dit-elle.

Descendue pour un moment d'un tableau du Greco, elle tendit à son fils le rasoir qui devait lui servir, un rasoir déjà tout préparé, avec les deux morceaux de liège qui assurent une taille franche, nette, régulière.

Sous son feutre mou, dont le mouvement évoquait l'aile de la mouette, don Carmine était bien ennuyé. Les sociologues ont tort de dire que la prison toujours endurcit l'homme. Dans la calme moiteur de la sienne, don Carmine avait eu le temps de voir s'assoupir sa rancune. Ce dur avait l'âme plutôt tendre. Après tout, si Mariuccia devait être heureuse avec son commis... Pour tout dire, en ce moment précis, plutôt que de la régaler de deux coups de rasoir, don Carmine aurait bien préféré lui envoyer une petite chose pour son ménage. Mais allez expliquer cela à une mère du Greco, à un oncle dont le casier judiciaire comporte de glorieuses rallonges et à deux amis qui vous tiennent pour le Roland du quartier. Don Carmine ne put trouver qu'un biais, probablement inspiré par la vue du rasoir : il parla d'aller chez le coiffeur.

– J'ai une barbe de trois jours, dit-il en faisant, du revers de ses doigts, crisser sa joue râpeuse.

Contre toute attente, ce projet reçut l'approbation de donna Cecilia. La vanité maternelle fut-elle, pour un instant, plus forte que l'honneur? Ou, par un raffinement de cruauté, donna Cecilia voulait-elle, au châtiment de Mariuccia, ajouter l'amer regret d'avoir trahi et perdu un homme à la joue aussi lisse? Qui sait?

Un quart d'heure plus tard, dans la boutique du coiffeur du vicolo della Croce, il y avait trente personnes, toutes au courant du dessein de don Carmine, toutes passionnément intéressées, toutes perdues dans des commentaires véhéments. Tandis qu'une trente et unième, une petite femme rabougrie, munie d'un cabas, courait chez Mariuccia et, dès le seuil, haletante, annonçait :

– Il est là! Je l'ai vu! Don Carmine est sorti. Il arrive! Avec son rasoir!

Instinctivement, Mariuccia porta la main à sa joue et son visage doré se referma comme une porte. Sebastiano était là, comme tous les jours, venu prendre le café. Très pâle, il se leva.

– Malheureux! clama la mère de Mariuccia.

Et, levée à son tour, elle claqua les mains, les secoua en une objurgation désolée, invoqua différents saints, rappela sans s'y attarder quelques souvenirs de jeunesse, bouscula Peppiniello, son cadet qui passait à sa portée, et finit par enjoindre à Sebastiano de se rasseoir. Ce qu'il fit, les poings serrés. Il faut tenir compte ici des mythologies locales. Sur sa seule réputation, un mauvais garçon, à Naples, jouit de la même toute-puissance que, dans les films américains, l'homme armé d'un Luger. L'idée de lui opposer un simple travailleur était du domaine de l'extravagance.

– Fermez au moins la porte, dit la rabougrie. Faites semblant que vous n'êtes pas là.

L'idée était bonne. De tout le poids de son corps considérable, la mère de Mariuccia s'abattit sur la porte, poussa le verrou, tourna la clef et soupira. Après quoi, toujours gémissante, elle alluma trois bougies devant l'image de la Madone de Pompéi qui ornait le fond de la pièce.

Cependant, chez le coiffeur, la barbe touchait à sa fin. Don Carmine se fit encore apporter un café, le but lentement, sous les regards.

– Allons! dit donna Cecilia.

Le cortège se mit en route, provoquant sur son passage des remous. Les hommes dédiaient à don Carmine des sourires approbateurs mais sans un mot, de peur de le distraire. Des mères le désignaient à leurs fils en les incitant à suivre ce bel exemple.

Arrivé devant la maison de Mariuccia, don Carmine leva la paume et, à des fins ostentatoires, il sortit son rasoir, en vérifia le tranchant.

– Mamma mia! dit une femme, les mains aux joues.

Le regard droit devant lui, don Carmine, un moment, comme s'il écoutait, posa la main sur le bras de sa mère. Puis il avança, disparut sous le porche. La petite foule s'était immobilisée au coin des deux rues. Peu à peu, comme une marée, son attention passionnée débordait jusque dans la via dei Rigattieri où, à leur tour, les honnêtes commerçants s'arrêtaient de commercer, les honnêtes passants de passer. Puis, de la foule, sortit un long soupir. Don Carmine venait de réapparaître. Il écarta les mains.

– Il n'y a personne, dit-il avec un air d'excuse.

– Nous attendrons, dit sa mère.

Déjà surgie d'un porche à côté, une obligeante apportait une chaise. Don Carmine s'assit.

Jusque-là, et malgré quelques gémissements de femmes, l'atmosphère avait été plutôt recueillie. Mais on ne reste pas recueilli devant un homme assis. Au coin de la rue, dans son édicule orné de feuillage et de citrons, le marchand de limonade se remit à débiter sa marchandise et, soucieux de se faire bien venir d'un homme qui lui attirait une si nombreuse clientèle, il apporta à don Carmine un verre de limonade. Piqué, le marchand de vin voisin apporta une fiasque.

– Non, pas de vin, dit donna Cecilia.

Avec un regard orgueilleux sur son fils, elle expliqua :

– Sa main pourrait trembler.

Elle parlait de lui comme d'un convalescent. Et les autres aussi autour de don Carmine.

– Le pauvre! Il devra peut-être attendre longtemps.

– Il ne devrait pas rester au soleil.

Et il est vrai sans doute qu'un grand dessein, c'est, dans un homme, comme une maladie. Non, pas de vin... En revanche, un peu de nourriture peut-être... Après neuf mois de prison... L'idée à peine énoncée, un dévoué alla chercher une pizza. Avec un regard triomphant à l'adresse du marchand de vin, le limonadier y alla d'une deuxième limonade.

– Modeste offrande, dit-il.

Mais c'est en vain que divers zélés, la main en visière, scrutaient jusqu'au fond des deux rues. Toujours pas de Mariuccia. L'oncle Procopio, en connaisseur, émit l'opinion que, de son temps, un vrai dur aurait enfoncé la porte.

– A quoi cela aurait-il servi? dit don Carmine. Il n'y a personne.

– Ç'aurait été plus digne, dit l'oncle.

– Je préfère attendre ici, avec les amis, rétorqua don Carmine en faisant une moue d'enfant gâté.

Donna Cecilia, elle, était franchement agacée.

– Mais qu'est-ce qu'elles peuvent faire? Ni la mère ni la fille! Personne à la maison! J'ai toujours dit que ce n'était pas une famille sérieuse.

A quatre heures, rien n'avait changé. Gonflé par la pizza et les limonades, don Carmine avait des aigreurs. Sa mère, à côté de lui, avait fini par accepter une chaise, et, de temps en temps, d'un mouvement sec, elle attrapait une mouche, talent rare mais dont elle avait la modestie de ne pas être vaine. Une femme donnait le sein à son bébé. Une autre, pour ne rien perdre de l'affaire, avait apporté son brasero et faisait cuire un ragoût. Accoudé à la tablette du marchand de limonade, l'oncle Procopio égrenait quelques souvenirs. Dans la via dei Rigattieri, les commerçants avaient repris leurs négoces, mais, penchés sur leurs éventaires, ils jetaient encore des regards furtifs. De loin, on voyait leurs faces rondes et inquiètes, orientées vers le coin de la rue, comme des tournesols.

A quatre heures vingt, il y eut une alerte, un galopin prétendant avoir vu, au troisième étage, remuer les rideaux. Trente regards aussitôt scrutèrent la façade. Plus rien n'ayant remué, le galopin fut renvoyé aux jupes de sa mère. A cinq heures moins dix, donna Cecilia émit l'opinion que, pour rester si longtemps hors de chez elles, Mariuccia et sa mère, c'était certain, devaient « faire la vie », et elle eut même une parole de compassion pour le pauvre Sebastiano qui sans doute ne savait pas ce qu'il épousait. A cinq heures et demie, déboucha le brigadier du quartier, un homme gras, mélancolique et qui s'épongeait.

– Eh bien? dit-il, ému par ce rassemblement.

Il lui fut expliqué qu'on s'était réuni pour entendre les souvenirs de prison de don Carmine, sujet toujours intéressant.

– Ah, ah, dit le brigadier.

C'est, comme on sait, étiquette policière que de ne pas tracasser un homme dans les deux ou trois jours qui suivent sa libération. Sinon, comment vivre? Pour ne pas perdre la face cependant, son ah ah étant un peu bref, le brigadier fit observer au marchand de limonade que sa licence ne l'autorisait pas à disposer des chaises dans la rue. Le limonadier aussitôt bondit de derrière ses guirlandes de citrons et, non sans quelques incidentes, attesta la Madone que ces chaises n'étaient pas à lui. Au bout de la sixième phrase, le brigadier déjà demandait grâce et il s'en fut, toujours s'épongeant.

Au troisième étage pourtant, l'état de siège commençait à peser. Mariuccia seule était calme. Assise, le menton sur la main et le coude sur la table, elle attendait. Cicatrice infamante ou négoce à Sorrente, on eût dit que cela lui était devenu indifférent. Un adage napolitain dit : « On ne marque que les belles. » Mariuccia y trouvait une sombre consolation. A l'autre bout de la table, devant leur huitième tasse de café, à demi tournée vers la Madone de Pompéi, la mère de Mariuccia et l'obligeante rabougrie disaient leur chapelet. Dans le fond, évitant de passer devant la fenêtre, Sebastiano marchait de long en large ou, arrêté, frappait du poing dans sa paume. Le petit Peppiniello, lui, très intéressé, s'était accroupi devant la fenêtre et surveillait la rue en utilisant un petit miroir à la façon d'un périscope.

– Il est toujours là. Il allume une cigarette.

– Oh! gronda Sebastiano. Ce n'est plus possible. Je vais descendre, aller m'expliquer...

– Insensé! s'exclama la mère dans un beau mouvement oratoire. Et il te tue, il te massacre. Tu le connais. Le couteau toujours prêt.

– Je peux prendre un couteau, moi aussi, dit Sebastiano sombrement.

– Et tu irais passer en prison la fleur de ta jeunesse...

Mariuccia ne disait rien.

– Je veux aller m'expliquer, reprenait Sebastiano en secouant sa tête comme un ours. (Il avait un peu une tête d'ours d'ailleurs, de gros traits, un front comme un mur, une expression butée.)

Puis, planté devant sa future belle-mère et comme pour la provoquer :

– Je regrette presque de ne pas avoir appelé le brigadier lorsqu'il est passé.

La mère de Mariuccia haussa les épaules et la rabougrie se signa. Si ce n'était pas malheureux d'entendre des choses pareilles! On voyait bien que ce garçon était tout à fait de l'autre bout de la via dei Rigattieri.

– Tiens, prends une tasse de café, dit la mère de Mariuccia. Ça te remettra.

A Naples, le café est remède universel. Suivant les circonstances, il apaise ou réveille, coupe la fièvre ou endort la crampe. En bas dans la rue, au même instant, on en apportait une tasse aussi à don Carmine. Autour de lui, on hochait la tête avec compassion.

– Pauvre garçon! Le faire attendre comme ça. Après neuf mois de prison...

Il était six heures. Assis sur son balcon, un homme pinçait sa mandoline et les femmes l'accompagnaient en fredonnant mais pas très haut vu la gravité de la circonstance. Sur sa chaise, donna Cecilia frémissait. A six heures dix, arriva une sœur de don Carmine qui lui apportait des oranges. Ayant reconnu dans l'assistance un ex-soupirant de ses vertes années, elle s'absorba avec lui dans une conversation qui, de reproche en nostalgie, s'orienta bientôt vers le tendre. A six heures vingt-cinq, il y eut un intermède provoqué par un marchand de légumes qui, intéressé par l'affaire, s'était arrêté, laissant son charreton au milieu de la rue. Un tatillon le lui reprocha, assurant que ce charreton pouvait gêner don Carmine s'il avait à bondir sur Mariuccia. Le marchand de légumes en convint mais fit remarquer qu'il n'avait pas le choix et que, s'il allait ranger sa charrette plus loin, ou bien il perdrait tout du spectacle, ou bien il courait grand risque d'être volé. Cette thèse fut étudiée sous différents angles; après quoi, non sans grommeler, le marchand finit par ranger son potager contre un mur.

A sept heures moins dix, brusquement, sans que rien ne l'eût fait prévoir, il y eut dans l'assistance comme un frisson, quelque chose qui passait, qu'on n'aurait pas pu encore identifier, mais qui était là, perceptible, comme un courant d'air, comme ce frémissement qui, dans les parlements, annonce la chute d'un ministère jusque-là assuré de durer. Une grosse femme qui avait de grandes boucles d'oreilles violettes proféra que ça devenait ridicule. Elle l'avait dit très vite en mâchonnant ses mots, comme s'ils lui étaient dictés moins par la raison que par quelque force intérieure. Son propos n'ayant suscité aucune réaction, elle le reprit plus posément. C'était vrai, après tout. Cette pauvre fille... Mariuccia, dans le fond, elle était de la via dei Rigattieri. Avait-on bien le droit de lui imposer les usages du vicolo della Croce? Et la marquer? Pour toute la vie? Une si jolie fille... Il y eut quelques approbations, timides d'abord, puis plus assurées. Ce n'était pas que l'opinion publique, sur le fond, eût varié. Non. Mais elle s'était lassée. La colère est napolitaine. La persévérance ne l'est pas, l'entêtement encore moins. Sous le soleil, les fleurs se fanent plus vite. Les rancunes aussi. Donna Cecilia seule avait encore son masque de plâtre. Et don Carmine, si l'on veut, dont le visage, sous le feutre mou, ne laissait pas deviner les pensées. Chez les autres, l'affaire, à vue d'œil, s'étiolait. Plusieurs commères déjà s'étaient écartées ou, si elles regardaient encore don Carmine et sa mère, c'était avec une expression ou revêche ou agacée. Comme pour signifier que l'heure était passée des choses sérieuses, la sœur de don Carmine elle-même s'éloigna, avec son soupirant retrouvé dont la mine promettait de plus sûres distractions. Au-dessus de la tête de don Carmine, toujours impassible, des points de vue s'affrontèrent. Un casuiste exprima l'opinion que, dans un cas pareil, il valait mieux châtier le rival que l'inconstante. Un orthodoxe lui donna la réplique en invoquant la tradition. Il ne fut pas soutenu. A quelques pas, la grosse femme aux boucles d'oreilles violettes interpella une grande brune qui, dans le quartier, passait pour facile :

– Ehi, Carmela! Vous qui n'êtes pas à un homme près... Allez le séduire, don Carmine... Après neuf mois de prison... Emmenez-le chez vous. Si la petite arrive pendant ce temps, nous la ferons filer.

Flattée, la grande brune se passa la main dans la nuque. Visiblement, l'idée lui souriait. Séduire don Carmine devant cinquante personnes, voir et faire voir ses appas triomphant de l'honneur... Le rôle était joli.

– Et pourquoi pas? dit-elle avec une œillade à décorner douze bœufs.

Elle fit un pas. Avec sa poitrine tendue, son cou de statue, sa robe noire, elle avait l'air d'un beau navire, aux flancs généreux, les voiles gonflées, chargé de volupté.

– Il y a une femme qui lui parle, annonça Peppiniello, le visage levé vers son miroir. C'est la Carmela. Il dit non.

Il abaissa son miroir. Sur son petit visage orange, une lueur avait passé. A quatre pattes, il gagna le milieu de la pièce, se releva.

– Je m'en occupe, dit-il.

Les regards qui se tournèrent vers lui étaient vides. Peppiniello avait la main sur le verrou de la porte.

– Peppiniello, dit la mère.

– Laissez-moi faire...

Il était déjà parti. On entendit encore son pas qui dévalait l'escalier.

– Peppiniello! clama la mère.

Elle voulut bondir vers la fenêtre. La rabougrie la retint par le bras.

Dans l'ombre moussue du porche, Peppiniello hésita quelques secondes. Puis, il respira longuement, comme un plongeur. Et sortit.

Et tout, brusquement, s'arrêta. Tout. Les commerçants derrière leurs cageots, le marchand de limonade, qui tendait un verre, la petite foule autour de don Carmine. Peppiniello avançait. La grande brune s'était retournée et le regardait avec stupeur. Peppiniello continuait à avancer. D'une main, il retenait sa culotte. Il avait quoi? Huit ans? Il avançait, tout seul, perdu, comme le chrétien dans l'arène. Il n'y avait plus que lui qui bougeait. La minute d'avant, don Carmine avait enlevé son feutre mou pour s'éventer. Son mouvement s'était arrêté aussi. Peppiniello était arrivé devant lui.

– Cornu! dit Peppiniello. Tu n'es qu'un cornu!

Et il détala. Déjà don Carmine et donna Cecilia étaient debout et se regardaient, tragiques, tendus, le masque de plâtre de l'une, la fine moustache de l'autre. Don Carmine regarda autour de lui. Il y avait des sourires. Brusquement il s'élança. Peppiniello avait pris par le haut du vicolo della Croce. Il filait comme une flèche mais derrière lui, d'une ample foulée, don Carmine gagnait du terrain. L'un derrière l'autre ils tournèrent à droite, puis à gauche, encore à gauche. Ils dévalèrent une rue, en gravirent une autre, bousculèrent un vieillard, renversèrent un étal, dispersèrent une partie de morra – et, dans le vent de leur course, les femmes tournoyaient, hagardes. Enfin, sur une place étroite, devant le perron court d'une église sculptée comme un ananas, Peppiniello s'arrêta, fit front, insolent, les cheveux dans les yeux, la main à la culotte.

– Eh bien? dit don Carmine.

– Eh bien? dit Peppiniello.

Don Carmine lança un regard autour de lui. Il n'était plus dans son quartier. Des têtes curieuses qui se tournaient vers lui, il n'en reconnaissait aucune.

– Mariuccia était là, je pense? dit-il.

– Oui, dit Peppiniello.

– Et elle va en profiter pour filer, je pense.

– Tu parles! dit Peppiniello.

Sous sa moustache agréable, don Carmine eut un sourire en biais. Dans sa poche, il prit une cigarette, la tendit au petit, en prit une aussi. Peppiniello gratta une allumette sur le perron court.

– Qu'est-ce que tu veux? dit-il. Contre la malchance, on ne peut rien.

Le rendez-vous

L'ennui, c'est que je vais mourir.

Il est là, il me parle, je l'écoute, j'ai l'air de l'écouter. Sa voix déjà n'arrive plus jusqu'à moi. Je vois bien qu'il est surpris, perplexe, qu'il y a quelque chose qu'il ne comprend pas. Ce quelque chose, c'est que je vais mourir. Il ne le sait pas. Il ne sait rien. Il parle, il sourit, pose sa main sur la mienne. Un moment, tout se confond. Ce n'est plus lui qui me parle, c'est le médecin. Il me regarde. Je le regarde. Je sais déjà. Je pose une question. Il hésite. Je dis : je serai courageuse, je veux savoir. Alors il a dit : vous êtes venue bien tard. Je n'ai pas eu peur. Maintenant encore, je n'ai pas peur. Cette voix-là non plus n'est pas encore arrivée jusqu'à moi. Je l'écoute, je ne l'entends pas, je ne l'entends pas vraiment. Je sais simplement que, d'une seconde à l'autre, je vais l'entendre. Je pense à mon mari, à mes enfants, à l'appartement. Mais j'y pense vaguement. Tout cela passe devant moi, mais très vite. Comme si rien de tout cela n'était plus vrai. Rien, ni eux, ni le médecin, ni cet homme qui me parle, qui tient ma main, cet homme que je n'ai vu qu'une fois, à un dîner, à côté de moi, qui m'a téléphoné ce matin, à qui j'ai donné ce rendez-vous. J'avais pensé : ce sera parfait, j'ai le médecin à trois heures, voulez-vous quatre heures? C'est même moi qui lui ai indiqué l'endroit : le bar d'un grand hôtel, un bar énorme, pompeux, des colonnes dorées, où il n'y a jamais personne. En sortant de chez le médecin, j'avais ce rendez-vous devant moi. Ce rendez-vous qui n'avait plus de sens. Je suis venue quand même. Je suis venue pour quelque chose qui déjà n'existe plus, qui n'existera plus. Je suis entrée. Il s'est levé. Il avait l'air de ce qu'il était : d'un homme qui attend une femme, qui l'attend paisiblement, sans fièvre, une femme qui lui a fait des avances. C'est vrai, à ce dîner, je lui ai fait ce qu'on appelle des avances. J'ai ri, j'ai battu des cils. J'ai dit : c'est merveilleux. J'étais heureuse. Heureuse pour quelque chose qui n'avait aucune importance. J'avais envie de lui. Envie de commencer une liaison avec lui. Mais comme ça, sans en faire un drame. Il n'y avait pas de drame. S'il ne m'avait pas téléphoné, je n'y aurais plus pensé. Maintenant il est là, il parle, il cherche ses phrases, il ne sait plus ce qu'il doit dire. Un silence, pour un moment, flotte entre nous. Il ne sait pas que, devant lui, il y a quelqu'un qui n'est pas là, qui n'est pas avec lui, qui n'est nulle part, qui déjà s'en va, doucement, qui s'efface. Il doit se dire : mais quoi? Pourquoi ce rendez-vous alors? Qu'elle a accepté si facilement? Ce elle, ce n'est plus moi. C'est cette femme que je vois dans le miroir, en face de nous, une jolie femme en robe de printemps, et un homme, qui lui parle. Qui s'est remis à lui parler. Mais dont les phrases n'arrivent jusqu'à moi que de temps en temps. Si maintenant il se levait, s'il me tendait les mains, s'il me disait : allons ailleurs, je le suivrais. Pour un moment encore, ce serait moi. Moi telle que j'étais ce matin. Moi sauvée, moi tirée de ce néant, de ce vide qui commence à m'entourer. Ou ce serait pour me fuir, pour mettre n'importe quoi entre moi et la peur qui me menace, cette peur que je n'éprouve pas encore mais dont je sais qu'elle va venir, dont je guette les premiers pas. N'importe quoi. Même lui. Même cet inconnu. N'importe quel couloir, n'importe quelle chambre. Mais il ne le dira pas. Il doit penser que c'est trop tôt, que ce serait maladroit, que je ne suis pas une femme à. Pas la première fois. Pas au premier rendez-vous. Et moi je ne peux pas le dire non plus. Moi telle que j'étais, je ne l'aurais pas dit. Même maintenant où je sais pourtant que tout cela n'a plus l'ombre de sens. Je vais mourir mais je suis encore elle, je suis encore cette femme dans le miroir, qui sourit, indulgente, amusée, mais qu'on n'emmène pas comme ça, la première fois. Il reprend ma main. Il a une expression tendue maintenant. Cette buée entre nous, il s'efforce de la dissiper. Bravement. Sérieusement. Il dit que c'est merveilleux. Il parle de notre avenir. Il a un avenir, lui. Il dit : où irez-vous cet été? pour les vacances? j'irai vous rejoindre. L'été? Ce mot-là enfin me rejoint et, une seconde, la peur passe, elle est là, elle me griffe. Dans le miroir, vite, je souris. Je dis : Étretat. Étretat, à son tour, passe devant moi puis s'efface. Étretat n'a plus de sens non plus. Je devrais me lever, partir, m'occuper de la seule chose importante qui est moi et que je vais mourir. Mais dans ce bar, devant cet homme qui me parle, c'est ma vie encore qui traîne, qui prend son temps, c'est moi, moi telle que j'étais, moi que je ne veux pas quitter, que je ne veux pas perdre. Pas encore. Dans ce bar, rien ne peut me rejoindre, au milieu des colonnes dorées, au milieu des miroirs, moi, et l'homme qui me parle, qui tient ma main, le barman qui répond au téléphone, derrière son comptoir, d'une voix feutrée, des mots qui ont l'air de glisser, de se glisser au milieu des silences. Je suis devant quelqu'un pour qui ma mort n'existe pas, je suis devant le dernier être qui me parle encore comme si j'étais vivante, un homme à qui je ne dois rien, aucune explication. Je flotte. Je suis entre deux eaux. Il tient ma main. Il me tient par la main. Il me retient de l'autre côté. Il ne sait pas qu'il me retient de l'autre côté. Je n'ai pas encore été chez le médecin. Je n'ai pas encore entendu ce qu'il m'a dit. Tiens ma main. Tiens-la très fort. Il sourit. Il dit : à demain? Je dis oui. Je dis oui pour qu'un moment encore il me tienne la main. Mais je ne viendrai pas. Je ne viendrai plus. Il a lâché ma main. Il fait un geste vers le barman. Le barman s'approche. Je prends mes gants, je prends mon sac. Je vais franchir la porte-tambour et, dans la rumeur de la rue, je vais enfin commencer à mourir.

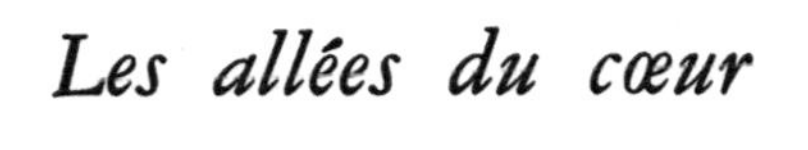

Les allées du cœur

Eugène aimait les roses.

Non, il est impossible de commencer ainsi. Tout le monde aime les roses. Chez Eugène, c'était une bien autre passion. Or les passions ne s'installent pas comme ça, du jour au lendemain. Leurs racines sont profondes et, pour les trouver, il faut parfois remonter jusqu'au plus creux de l'enfance.

Notaire de son état, et dans le dix-septième, ce qui est être notaire deux fois, M. Ménéchaud, de deux lits successifs, avait eu, d'abord, cinq filles, puis un fils, qu'il prénomma Eugène. Les cinq filles, elles, s'appelaient toutes Marie quelque chose, Marie-Charles, Marie-Thérèse, Marie-Josèphe, Marie-Bénigne, Marie-Françoise. Comme on sait, c'est dans les professions les plus sérieuses qu'on rencontre le plus d'extravagants. Sous ce rapport, les notaires, dit-on, sont imbattables.

Là-dessus, comme Eugène avait trois ans, M. Ménéchaud mourut. Et Eugène connut ce destin assez remarquable d'être élevé par six femmes, sa mère et ses cinq demi-sœurs dont la plus jeune avait quinze ans de plus que lui, feu le notaire ayant pris son temps pour se remarier. Dans le vaste appartement de la rue de Prony, royaume touffu, ombreux, rideaux, brise-bise, embrasses, cache-pot, Eugène régnait.

Il y régnait à un double titre : parce qu'il était le plus petit et parce qu'il était l'homme. Planté là au milieu de ces six grandes femmes attentives, avec ses culottes courtes et son petit seau, Eugène représentait à la fois la faiblesse, premier prestige, et la virilité, deuxième prestige. Divine complexité du cœur! Lorsque, passant devant la chambre d'Eugène, Marie-Charles et Marie-Françoise étouffaient le bruit de leurs pas, c'était dans un sentiment tout ensemble maternel et conjugal. Maternel : le sommeil de l'enfant est sacré. Conjugal : le repos de l'homme l'est aussi. Dans ce petit garçon avec son seau, sa mère et ses sœurs voyaient déjà l'homme de la famille et, malgré sa présente exiguïté, elles l'avaient installé dans le creux laissé par feu M. Ménéchaud.

Avec le temps, trois des sœurs s'étaient mariées. Traçons immédiatement une croix sur la première, Marie-Thérèse, qui avait épousé un apiculteur. Amoureuse de son mari, un bel homme blond (dans ses moments d'abandon, elle allait jusqu'à comparer la chevelure de son mari au miel de ses abeilles), elle ne montrait plus pour Eugène qu'une affection négligente. Cette attitude avait cruellement heurté la famille. Ajoutons qu'un jour, invité par l'apiculteur à visiter son établissement, à Gif-sur-Yvette, Eugène y avait été piqué par une abeille et que l'apiculteur s'en était à peine excusé. Depuis, dans la famille, on disait : « Pauvre Marie-Thérèse! » avec un soupir, comme si elle eût épousé un forçat.

La deuxième, Marie-Josèphe, avait longtemps hésité entre un dentiste de la rue des Moines et un industriel du boulevard Berthier. Sans prétendre ici violer les secrets d'un cœur de jeune fille, il est permis de penser que la proximité de la rue des Moines avait été, pour le dentiste, l'atout décisif. Marie-Josèphe restait ainsi dans les parages immédiats d'Eugène. Plus raisonnable encore, la troisième, Marie-Bénigne, personne effacée, avait épousé un professeur (de solfège), lequel, homme facile, avait accepté de venir s'installer rue de Prony, dans une chambre, heureusement assez vaste et sise au bout d'un couloir.

Ces deux maris existaient-ils vraiment? On peut supposer qu'ils avaient chacun leur vie personnelle qui commençait, pour l'un, rue des Moines et, pour l'autre, dans sa chambre, où il élevait un canari. Dans les pièces communes de l'appartement, rien n'en apparaissait. Ils étaient là, c'est tout. Occupant des chaises, salissant des assiettes mais sans que l'attention, un seul moment, se détournât du seul Eugène. C'était Eugène qui parlait, Eugène qu'on écoutait. D'une manière parfois assez curieuse, d'ailleurs. Par exemple, si la famille décidait d'aller au théâtre ou au cinéma, c'était Eugène qui prenait le journal (il avait grandi, s'entend), qui consultait les programmes, qui donnait son avis. Cet avis était écouté : l'homme avait parlé. Après quoi, c'était sans Eugène que la famille ou une partie de la famille allait au théâtre ou au cinéma : l'enfant, pour son bien, devait être couché avant neuf heures.

*

Le beau-frère dentiste devait pourtant un jour prendre sa revanche. Un matin, dans son cabinet, comme il venait de soigner la denture d'un boucher, homme excellent et qui admirait Giono, il vit entrer sa femme et deux de ses belles-sœurs. Elles étaient toutes les trois curieusement pareilles, grandes, fortes, le visage lourd et fermé.

– Marie-Charles et Marie-Françoise ont à te parler, dit la femme du dentiste.

– J'écoute.

– Voici, dit Marie-Charles. Eugène a mal aux dents.

– Eh bien, amenez-le-moi, dit le dentiste.

Devant un tel sang-froid, sa femme eut pour ses sœurs un regard orgueilleux.

– Il est là, dit Marie-Charles. J'ai pris sur moi de l'emmener. Mais je voudrais vous expliquer...

– Inutile, dit le dentiste qui, rue des Moines, se sentait chez lui. Je vais l'examiner.

Eugène fut introduit. Il avait treize ans maintenant et fleurait la lavande. Il s'assit. Le dentiste se pencha. Autour de lui, trois têtes se penchaient aussi. Pour un instant, la troisième molaire gauche d'Eugène fut le centre du monde.

– C'est une simple carie, dit le dentiste.

Sous l'effet conjugué de trois soupirs, la mèche blonde d'Eugène fut un moment soulevée.

– Je dis simple. Rien n'est simple, dit le dentiste pour se faire valoir. Je le soigne?

Marie-Charles le toisa. Ce beau-frère était-il digne d'effleurer la molaire d'Eugène? D'autre part, l'idée de confier cette molaire à une main étrangère la faisait frémir tout autant. Elle ferma les yeux.

– Alllez-y, dit-elle.

Le dentiste se re-pencha. Il y eut un vrombissement. Marie-Charles frissonna. Marie-Françoise battit des cils.

– Tu as souffert? demanda Marie-Charles soupçonneuse.

– Non, dit Eugène.

Les visages, jusque-là, avaient été tendus. Ils se détendirent. Malgré un vague ricanement intérieur, le dentiste eut un mouvement de fierté. Et cette nuit-là, avec sa femme, était-ce une idée, il lui sembla que, pour la première fois, il était vraiment aimé.

*

Avec tout cela, je n'ai presque rien dit encore d'Eugène lui-même. Mais y avait-il quelque chose à dire? L'adoration peut exalter un être. Elle peut aussi l'engourdir et, à peu de choses près, le supprimer. Vers sa quinzième année, sous l'influence d'un camarade de lycée, Eugène avait eu un coup de passion pour la philatélie. Ses sœurs ayant incontinent écumé pour lui les principaux marchands de timbres de Paris, Eugène, devant cette avalanche, avait abandonné. L'année suivante, il avait parlé de s'inscrire à un club de tennis. Sa mère l'en avait aussitôt détourné en arguant que la transpiration pouvait avoir des effets funestes sur sa santé. Deux ans plus tard, comme il avait échoué au baccalauréat – péripétie fâcheuse et qui provoqua, surtout de la part de Marie-Charles, des doutes injurieux sur la probité du corps enseignant –, la famille décréta qu'après cet affront, Eugène ne devait certainement pas faire à « ces messieurs » l'honneur de se représenter, qu'il pouvait très bien se passer de baccalauréat, qu'il serait un self-made-man, voilà tout. Quant à savoir quel genre de self-made-man il pouvait être et quelle profession il pourrait embrasser, il fut conclu que cette question pouvait attendre, feu M. Ménéchaud ayant laissé un patrimoine suffisant pour que la famille n'eût pas de soucis à se faire de ce côté-là.

A cette époque, Eugène était un assez joli garçon, un peu gros, blond et assez fade. Pour s'habiller, il avait ce qu'on appelle des goûts distingués, qui étaient en réalité les goûts de ses sœurs. Cela accentuait encore sa fadeur. Son service militaire aurait pu lui donner un peu du rugueux qui lui manquait. Le moment venu, sa mère et ses sœurs se déployèrent en tirailleurs et, grâce aux efforts conjugués d'un général de leurs relations et d'un lointain cousin qui était sénateur, il fut affecté comme planton dans un bureau de la place de Paris. Il resta poli.

C'est vers ce temps-là aussi qu'il s'éprit d'une certaine Georgine, jeune personne brune au nez assez fort et qui était la fille d'un coiffeur de la rue Médéric. La trouvant indigne de leur neveu (il faut dire que, tel qu'elles le voyaient, même sur la reine d'Angleterre, elles auraient chipoté), les sœurs entamèrent aussitôt une campagne d'allusions : les brunes étaient mauvaises ménagères, les brunes n'étaient ni affectueuses ni fidèles. Toujours poli, Eugène, un jour, à table, finit par convenir que, peut-être, à certains égards, les brunes... L'après-midi même, Marie-Charles faisait irruption chez le coiffeur pour lui signifier que sa fille était une pas grand-chose et qu'elle eût à laisser Eugène tranquille. Eugène protesta. « Comment! lui répliqua Marie-Charles. Tu m'as dit toi-même que les brunes... » Eugène finit par se convaincre que c'était lui qui avait rompu et il se crut du caractère. Par des tactiques parallèles, on réussit à le détourner de deux autres jeunes personnes, passées dans sa vie si rapidement que cela ne vaut pas la peine d'en parler.

*

Seulement l'oisiveté, comme on dit, c'est très gentil mais on s'en lasse. N'ayant rien de mieux à faire, Eugène avait pris le pli de soigner les fleurs en pots qui ornaient les cinq balcons de la rue de Prony. Sans doute par association d'idées, cela l'avait amené à visiter Bagatelle. Il en revint en proie à un enivrement intérieur dont il est difficile de préciser la nature. Toutes ces roses... La vie lui apparaissait sous un autre jour. A peine rentré, sans perdre de temps, il avait annoncé sa décision : il allait se mettre en quête d'un terrain pour y cultiver des roses.

Le premier étonnement passé, Mme Ménéchaud et les sœurs avaient applaudi. Un terrain, pourquoi pas? Un peu de jardinage, pourquoi pas? Le pauvre Eugène n'avait pas tant de distractions. Sans compter qu'un terrain, c'est toujours un placement. On lui signa des papiers divers et, huit jours plus tard, Eugène se trouvait en possession d'un terrain, en bordure du parc de Saint-Cloud et resté miraculeusement vierge en raison d'une sombre histoire d'indivision.

Bref, tous les jours maintenant, tantôt l'après-midi, tantôt dès le matin, Eugène gagnait son terrain. Il en revenait harassé, les genoux terreux, ravi. « Cette vie au grand air lui fait du bien », disait Marie-Charles. Qui ne voyait pas plus loin. Chose remarquable et qui en dit long sur les aveuglements du cœur : en trois ans, pas une fois, ni la mère d'Eugène ni ses sœurs n'eurent l'idée d'aller le voir, ce terrain. Eugène était content. Eugène avait trouvé de quoi s'occuper. C'était tout ce qu'elles demandaient.

C'est dire leur stupeur, et le terme est faible, lorsque, un jour, leur notaire, homme jovial, vint leur révéler, un peu moins jovial, que, pendant ces trois ans, à force de prélèvements, Eugène avait dilapidé deux bons tiers de leurs biens.

– Les deux tiers?

– Les deux tiers.

– Eugène?

– Eugène.

Le notaire sortait des papiers. Malgré sa bonne tête ronde, il avait réussi à se composer un air funèbre.

– Tout est régulier. J'ai cru cependant de mon devoir...

– Mais c'est absurde! dit Marie-Charles avec feu. A quoi Eugène aurait-il pu dépenser tout cet argent? Il passe ses journées à jardiner.

– A jardiner! Ah ah ah!

Ce ricanement de chacal, ma parole, c'était le professeur de solfège. Il voyait enfin poindre son heure.

– A jardiner! Et vous l'avez cru! Vous êtes de belles naïves. Je l'ai toujours pensé. Eugène doit avoir quelque folle maîtresse.

– Eugène? dit la mère que cette supposition frappait en plein cœur.

– Quelque danseuse! poursuivait le professeur. Non, reprit-il avec l'expression de quelqu'un qui est au courant des barèmes. Une danseuse n'aurait pas coûté si cher. Ce doit être une courtisane de haute volée. Ou, qui sait, une vedette de cinéma.

– Mais son terrain?

– Allons donc! Il n'y a jamais eu de terrain.

– Ah pardon! dit le notaire. J'en ai moi-même négocié l'achat.

– Alors, c'est qu'il y aura construit une folie, dit Marie-Josèphe.

Vivant en dehors du temps, ne communiquant avec le siècle que par les gammes du professeur et les prothèses du dentiste, la famille Ménéchaud, on l'aura remarqué, usait d'un langage parfois désuet.

– Il nous faut tirer ça au clair, dit Marie-Charles.

Laissant la pauvre mère en larmes dans sa bergère, Marie-Charles, Marie-Bénigne, Marie-Françoise et le professeur prirent l'ascenseur (en deux fois, colère n'excluant pas prudence), s'engouffrèrent dans un taxi et arrivèrent bientôt en vue du terrain. Un homme avec une brouette en franchissait la grille.

– Ménéchaud? demanda Marie-Charles.

– C'est ici, dit l'homme.

Les sœurs avancèrent de trois pas. Et reculèrent de deux, muettes d'épouvante. Elles croyaient trouver un jardin, quelques plates-bandes, une tonnelle à la rigueur et trois chaises vertes. Il s'agissait bien de quelques plates-bandes! C'était une débauche, une avalanche, une vision étonnante, bariolée, somptueuse. Des roses partout, roses rouges, roses roses, roses blanches, des grosses, des petites, des doubles, du jaune, de l'ocre, du garance. Des guirlandes, une pergola, trois serres, une fontaine. Une vraie fontaine, comme aux Tuileries! Sans compter un arrosage automatique en pleine action qui augmentait encore cette impression de fraîcheur déchaînée et de gaspillage liquide.

Un instant, Marie-Charles espéra qu'elle s'était trompée, qu'il y avait un malentendu. Mais non! Eugène était là, dans l'allée centrale, soutenant une rose. Il vit ses sœurs, vint vers elle, souriant.

– Malheureux! dit Marie-Charles.

– Malheureux? Qui? demanda Eugène avec intérêt.

– Ces roses! dit Marie-Charles. Tu nous a ruinées pour des roses.

Vieillie de dix ans, le menton lourd, elle avança dans l'allée. Sous ses larges traits et son ombre de moustache, Marie-Charles cachait une âme portée au drame. Cent fois, en tricotant ou réveillée trop tôt, elle avait imaginé les cataclysmes qui auraient pu les jeter, elle, Eugène et ses sœurs, sur le trottoir. Elle avait pensé à tout, guerre, émeutes, débâcle à la Bourse, femme fatale, notaire parti pour Montevideo. Elle avait pensé à tout. Elle n'avait pas pensé aux roses. Les roses maintenant étaient là, une marée, un océan, les unes lourdes, les autres légères, lourdes de tout l'argent qu'elles représentaient, légères comme ces danseuses dont, un moment, on avait accusé Eugène.

– Ces roses! gémit-elle.

Elle n'était pas au bout de ses épreuves. En dépassant une allée transversale, elle avisa un jardinier, accroupi. Un soupçon la traversa.

– Vous n'êtes pas tout seul pour ce grand jardin? demanda-t-elle d'une voix contenue.

– Oh non! dit le jardinier. Pensez! Nous sommes trois. Il faut ça, remarquez.

Trois jardiniers! Alors que, rue de Prony, par souci d'économie, on se contentait d'une seule femme de ménage. Marie-Charles se retourna. Eugène était là, à quelques pas, inconscient, le visage éclairé. Alors, brusquement, dans un délire de fureur et de haine, Marie-Charles se rua dans un parterre et se mit à le piétiner, le visage convulsé, avec des cris aigus, inarticulés. Des cris de souris, qui étonnaient, avec ce grand corps. Et vlan! Et vlan! Elle écrasait les rosiers, abattait les tuteurs. Mais déjà Eugène s'était précipité, la tirait par le bras.

– Tu es folle! Je fais là des expériences de greffe à l'anglaise.

Marie-Charles se jeta sur lui, les mains en avant.

– Voleur! Misérable voleur!

Eugène lui avait pris les poignets. Un moment, ils se regardèrent. Sur le visage d'Eugène, il y avait comme un nuage qui descendait lentement.

– Sortez, dit-il.

Il repoussa Marie-Charles. Elle avait une expression de grosse petite fille qui va pleurer. Eugène, lui, se tenait un peu voûté, l'air absent.

– Sortez, reprit-il. Ici, je suis chez moi.

Là, le professeur crut opportun d'intervenir.

– Ah, mon petit ami...

Eugène eut un geste impatient de la main.

– Allez! Déblayez!

Le groupe familial se replia en désordre. Derrière le mur, on entendit encore quelques exclamations. Puis le silence. Eugène s'était agenouillé et, avec des gestes tendres, il relevait les rosiers dévastés. Le jardinier s'était accroupi à côté de lui.

– Voilà du peuple bien brute, dit-il. Cette dame, elle aurait frappé Monsieur, j'aurais compris. Mais frapper une rose!

– Et c'est ma sœur, dit Eugène.

– Cette dame serait la sœur de Monsieur?

– Oui.

– Eh bien! dit le jardinier.

Il sombra dans un abîme de réflexions. Dont il émergea pour ajouter :

– Il ne faut pas demander.

Là-dessus, toujours agenouillé, Eugène, devant lui, vit une ombre. Croyant à un retour offensif de la famille, il se releva d'un bond. Ce n'était qu'une jeune fille, blonde, dans un tailleur léger bleu pervenche.

– Je vous prie de m'excuser, dit-elle en hésitant. Tous les jours, en passant, je regarde les roses à travers la grille. Aujourd'hui, c'était ouvert...

Émerveillée, elle regardait autour d'elle.

– Tant de roses...

Eugène, lui, c'était la jeune fille qu'il regardait.

– Vous aimez les roses?

Elle eut un mouvement bref, de la tête.

– Venez, dit Eugène dans un élan. Je vais vous montrer.

Lui toujours si réservé, il avait pris la main de la jeune fille. Et ce n'était pas dans la douceur. Il la tenait très fermement. Une bonne colère, ça vous change un homme.

– Tenez, voici la Caroline Testout, dit-il. Classique peut-être mais qui, pour moi, reste la reine des roses. Voici la Soraya. Touchez, elle est lisse comme du velours. Là, c'est la Maréchal Niel et voici la Sultane. Par ici, la Grand-Mère Jenny...

Il s'animait, marchait plus vite.

– Et voici la Signora Piuricelli, la plus vigoureuse. Elle résiste à tout. En face, la Présidente Cochet-Cochet...

– Je connais une Madame Cochet, dit la jeune fille. Elle habite rue...

– Et voici la Princesse de Broglie, poursuivait Eugène sans l'écouter. Voici la Suzon Lotté, regardez, elle est presque mauve, ce ton est rare. Voici la Talisman, la Caledonia, la Madame Butterfly, la Sutter's Gold...

– C'est de l'anglais, dit la jeune fille pour dire quelque chose.

– Venez par ici. Je vous présente la Charles Mallerin, la Beau Carmin du Luxembourg, la Super Herrington, rose foncé, la Condesa de Castillejos, voyez, qui est presque orange. Voici notre bonne vieille Gloire de Dijon. Voici l'Amélie Gravereaux qu'il ne faut pas confondre avec la Renée Gravereaux, plus rare et que je n'ai pas encore réussi à me procurer. Voici First Love, voici la Gruss an Aachen, la Elvire Popesco, la Perle de Montserrat...

– Vous en savez, des choses, dit la jeune fille.

– Oui, dit Eugène.

Il voulait ajouter quelque chose. Sans doute, était-ce difficile à dire. Il ne le dit pas.

– Je dois partir maintenant, dit la jeune fille.

Elle l'avait dit très doucement. Eugène sursauta.

– Non, pas encore, dit-il.

Il avait levé la main et il penchait la tête comme quelqu'un qui écoute. Qui écoute une voix très loin.

– Attendez...

Le jardinier les avait suivis. De la poche de son tablier, sur le ventre, dépassait un sécateur. Eugène le prit. Il coupa une rose, une grosse rose, d'un rouge sombre, et la tendit à la jeune fille. Puis il en coupa une autre, et une autre, une autre, de plus en plus vite.

– Monsieur! dit le jardinier.

– Vous allez tout abîmer, dit la jeune fille.

– Mais non! dit Eugène en lui tendant encore trois roses d'un seul soup et sans même se retourner. Prenez. Je le sais maintenant. Ces roses étaient pour vous.

– Pour moi? dit la jeune fille.

Les bras pleins de roses, le visage aussi rose que celles qui étaient roses, elle battait des cils. Eugène ne la regardait même pas. Avait-il besoin de la regarder? Souvent, dans la rue, il l'avait rencontrée. Sur le moment, il ne lui avait pas prêté attention. Imbécile qu'il était. Les roses, les roses! Il y a autre chose que les roses. Mais pouvait-il savoir? Ce serait trop simple si, comme les roses, les hommes et les femmes portaient des étiquettes : voici le bonheur, voici l'amour, voici ta joie, voici ton phare et ta vie. Eugène eut l'impression qu'un abîme s'ouvrait devant lui. Mais plus rien ne pouvait l'arrêter.

– Ne le saviez-vous pas? dit-il. Depuis le premier jour...

Comme quoi, je le dis toujours, il ne faut pas trop gâter les enfants.

Le beau travail

– Eh bien! dit Fiorella, je vais me marier.

Dans cette voix qui pourtant était fraîche, dans ce regard qui pourtant venait de deux beaux grands yeux, un observateur attentif, doublé d'un auditeur perspicace, aurait pu déceler une nuance, une ombre, un doigt de défi.

De défi? Et pourquoi donc?

Voici la chose.

Cette année-là, dont le millésime ne change rien à l'affaire, à Rome, ou plus exactement à la périphérie, dans une zone encore peu bâtie, se trouvait, au milieu d'un court jardin, une maison qui avait assez l'air d'avoir été bâtie de bric et de broc. Dans cette maison, cohabitaient d'abord M. Bartolomeo Buttafava, robuste sexagénaire, maçon de son état et que la nature avait doté d'un profil bourbonien légèrement dégradé; ensuite, Mme Buttafava, épouse du précédent; ensuite, un fils, nommé Raffaele, un beau brun; ensuite une fille, Livia, brune obèse, volontiers véhémente dans son parler et mariée à un certain Giovanni, homme trapu qui se flattait d'une ressemblance, à vrai dire assez troublante, avec Spencer Tracy; ensuite, une autre fille, Anna, brune également mais du type osseux, toute en dents et taciturne, laquelle était flanquée d'un mari albinos qui avait un cheveu sur la langue ; ensuite, Pasqualino, fils des précédents, nourrisson, et enfin Fiorella, titulaire de la réplique énoncée plus haut, fille, sœur, belle-sœur et tante des précédents, présentement âgée de vingt ans, belle comme le jour (mais un jour d'orage), saine comme la pêche et affligée d'un caractère de cochon.

Comme je l'ai précisé, Bartolomeo Buttafava était maçon. J'entends par là que, lorsqu'on lui demandait quel était son métier, il répondait : maçon. Cela ne voulait pas dire qu'il maçonnât. A cet égard, Bartolomeo Buttafava était poursuivi par une singulière malchance. De temps en temps, il trouvait bien du travail (sans beaucoup chercher d'ailleurs, mais à Rome on construit abondamment). Chose curieuse, il ne réussissait jamais à le garder. Trois jours, c'était son maximum, et encore ce record remontait-il aux années fiévreuses qui avaient suivi le boom économique. Dans le travail, qui n'a pas ses manies? L'excellent Bartolomeo en avait une : à peine sur le chantier, il s'asseyait où il pouvait et rassemblait autour de lui ses collègues pour raconter des anecdotes. Ce travers – si c'en est un – est bénin. Il y a des entrepreneurs cependant, des contremaîtres, que cela agace, qui trouvent que les chantiers ne sont pas faits pour ça et que les anecdotes ralentissent le labeur. D'où des remarques, des observations. Sans être plus susceptible qu'un autre, Bartolomeo n'aimait pas les observations. Tout de suite, il se crêtait, parlait de se plaindre au syndicat, le faisait parfois, se voyait rembarrer et rentrait chez lui. Il y retrouvait son fils, ses deux gendres, et avec eux, il se consolait en jouant aux cartes.

Car, voici le plus curieux, cette malchance n'accablait pas que le seul Bartolomeo. Son fils, Raffaele, qui était plombier, ne plombait pas plus que son père ne maçonnait. Ou plutôt, après avoir acquis les rudiments de cette discipline et l'avoir exercée pendant quelques mois, un jour, en plein après-midi, il était rentré, il avait rangé sa boîte à outils dans un placard et, sur le ton d'un explorateur revenu d'une décevante contrée, il avait proféré : « La plomberie, merci bien! », avec une expression si butée que, dans la famille, personne n'avait osé lui demander quelle péripétie, quelle avanie, quelle déception, quel détour dans son âme ou quel retour sur lui-même avaient pu l'amener à une résolution si radicale. Quant aux deux gendres, l'un, le trapu, qui avait trouvé un emploi comme démarcheur dans une compagnie d'assurances, était bientôt arrivé à cette conclusion que le porte-à-porte lui donnait d'insupportables migraines. On a vu des phénomènes médicaux plus singuliers. L'autre, l'albinos, aurait voulu être gardien d'immeuble, ambition louable qui, outre les qualités dont il était pourvu, ne demandait qu'une condition : un immeuble à garder. Jusque-là, l'immeuble ne s'était pas trouvé.

Bref, pour toutes ces raisons, chez les Buttafava, aucun homme ne travaillait. Dans cette intéressante famille, les ressources étaient assurées par le travail des femmes. Au fond, pourquoi pas? Comme le disait si justement l'excellent Bartolomeo : « Nous sommes neuf, dont un nourrisson. Il y en a quatre qui travaillent. La moyenne y est. » Les épouses des deux gendres étaient l'une vendeuse, l'autre emballeuse dans un grand magasin. Le même, d'ailleurs. Fiorella, qui avait des ambitions plus hautes, exerçait les fonctions de dactylo dans une affaire de publicité. Quant à la maman, Rachele, elle était cuisinière mais pardon! cuisinière de grande maison, ne faisant que des extras, dictant ses conditions et rentrant chez elle tous les jours. De la cuisinière de grande maison, elle avait tous les traits, us et caractères : un teint cuit, une ombre de moustache, un appétit d'oiseau et une âme d'impératrice. Cette âme d'impératrice expliquait un peu les choses. Mme Rachele, bien entendu, aurait préféré un mari qui travaillât, mais, travailleur, elle aurait été forcée de le respecter. Celui-ci, qui ne faisait rien, elle le dominait et, finalement, s'en accommodant, elle avait renoncé à le tarabuster. De temps en temps, agacée, elle le mettait bien à la porte mais, trois heures plus tard, le retrouvait avec plaisir. L'excellent Bartolomeo n'en prenait pas ombrage. « C'est le travail, expliquait-il à ses gendres en reprenant sa partie de cartes. Rachele travaille trop. Ça aigrit le caractère. » Ne travaillant pas, il avait, lui, une humeur égale. Toujours prêt à rendre service ou à raconter une anecdote, il était adoré dans le quartier – bien plus que sa femme qui passait pour altière.

Et c'était sans doute cette âme d'impératrice aussi qui expliquait le caractère tribal de la famille Buttafava. Mme Rachele estimait que, si elle avait pris la peine de mettre au monde des enfants, ce n'était pas pour devoir s'en séparer sous prétexte de mariages. D'où les deux appentis, à gauche et à droite de la maison, dus aux labeurs de Bartolomeo et de Raffaele (une fois n'est pas coutume) et qui abritaient les chambres à coucher des deux jeunes ménages. Cette vie en tribu présentait des agréments. Dans l'ensemble, malgré quelques pointes d'humeur de temps en temps, les Buttafava étaient heureux comme ça. Les femmes, parfois, il est vrai, revenaient de leur travail un peu nerveuses ou fatiguées. Bien reposés par leur sieste, le teint frais, les hommes leur opposaient des visages sereins et des plaisanteries qui bientôt ramenaient la bonne humeur. Entre deux parties de cartes, ils avaient fait les courses, préparé les repas, rangé la maison. Ces occupations ménagères ne les ayant pas exténués, ils n'étaient pas comme tant de maris qui, le soir, rechignent si on leur parle d'aller au cinéma. Non, pour le cinéma, ils étaient toujours prêts et les premiers à le proposer. Enfin, outrageusement gâté par son grand-père et par ses trois oncles, le nourrisson prospérait. On vous le dit, les unes travaillant, les autres se la coulant douce, les Buttafava étaient heureux.

Sauf Fiorella. Voilà bien les éternels paradoxes de l'existence! N'étant mariée à aucun de ces quatre joueurs de cartes, Fiorella aurait dû être la dernière à s'agiter. Eh bien, non! Ces hommes qui ne travaillaient pas, ça l'agaçait, ça lui tirait les nerfs, ça l'exaspérait. Le soir, à la table familiale, elle haussait au-dessus de son assiette un visage tragique.

– Vous n'avez pas honte!

– Mais oui! disait Livia, qui, de toutes, était la plus accommodante. Regarde-les. Ils ont bien honte, va!

– Ça, pour avoir honte! commentaient les deux beaux-frères en se tordant.

– Des hommes qui ne font rien, moi, ça me dégoûte.

– Tiens! rétorquait l'albinos. Moi, une femme qui travaille, ça ne me dégoûte pas du tout.

Des houles de gaieté passaient sur les spaghetti. Fiorella devenait enragée.

– Quand je raconte ça au bureau!

– Tu ferais mieux de travailler, à ton bureau. Au lieu de jacasser.

– A votre place...

– Tu n'es pas à leur place, interrompait Rachele avec son autorité de grande cuisinière. Mange et tais-toi.

Fiorella ne désarmait pas encore.

– En tout cas, il y a une chose que je sais...

– Ça en fait toujours une.

– Moi, je n'épouserai jamais qu'un homme qui travaille.

– C'est beau, ça! soulignaient les beaux-frères avec une lourde ironie.

Puis, sans rancune :

– Tu viens avec nous au cinéma?

Fiorella fronçait encore le nez mais, comme elle aimait le cinéma, elle finissait par y aller. Quitte à soupirer lorsque, sur l'écran, apparaissait un mâle véritable, un mari, un homme enfin qui travaillait.

On imagine alors sa gloire, son bonheur, sa fierté lorsqu'un soir en rentrant elle put énoncer la réplique :

– Eh bien! je vais me marier.

La nouvelle, comme on pense, suscita de l'intérêt. Le nourrisson émit même un soupir, mais ce ne fut là sans doute qu'une coïncidence.

– Tu vas te marier?

– Oui.

– Et avec qui? demanda Mme Buttafava, qui aimait assez aller d'emblée au nœud de la question.

– Avec un homme...

– Tiens, tiens! interrompit facétieusement le beau-frère albinos.

Fiorella le foudroya du regard.

– Avec un homme qui travaille, reprit-elle. Il est dans la publicité. Un garçon sérieux. Il se fait ses douze cent mille lires par mois.

Le chiffre était légèrement exagéré. Faute de le savoir, l'albinos en eut le souffle coupé. Et Bartolomeo battit des paupières.

– Parfois même plus, dit encore Fiorella. Et il s'appelle Gian Paolo.

Mme Buttafava pencha le visage tout en mâchonnant comme si ce prénom avait eu un goût particulier. Puis, en femme habituée aux grandes décisions :

– Eh bien ! Tu n'as qu'à nous l'amener.

Le dimanche suivant, comparaissant devant la famille, ledit Gian Paolo fit une excellente impression. C'était un grand garçon, du genre roseau penchant, osseux et dont le débit, au fur et à mesure qu'il parlait, avait tendance à se précipiter. Vers les cinq heures, Mme Buttafava émergea d'un silence majestueux.

– Oui, dit-elle.

Elle avait l'air de quelqu'un qui remonte à la surface de soi-même. Elle se leva. Toute la famille la suivait du regard et Fiorella posa sa main sur celle de Gian Paolo qui, étonné, s'arrêta au milieu d'une phrase. Mme Buttafava, sur le buffet, prit un bout de bois. Les visages s'éclairèrent. Mme Buttafava ouvrit la porte, descendit dans le jardin. Toute la famille suivit. Mme Buttafava se pencha. Dans le silence, on entendit craquer ses genoux. Sur le sol, avec son bout de bois, elle commença à tracer des lignes. Dans la famille, il y eut un brouhaha : Mme Buttafava consentait au mariage. Ce qu'elle dessinait sur le sol, c'était le plan de la chambre qu'il allait falloir construire pour le nouveau ménage.

Dès le lendemain, gais et contents, sifflant comme des merles et se donnant des claques dans le dos, les quatre hommes se mirent à la tâche. Bartolomeo maçonnait. Raffaele mesurait des tuyauteries. Le gendre Spencer Tracy brouettait des briques tandis que le gendre albinos donnait des conseils, six clous dans la bouche, ce qui n'améliorait pas son articulation déjà défectueuse sans clous. Le tout à la papa, sans se presser, le père s'arrêtant de temps à autre pour raconter une anecdote et Raffaele allant toutes les deux heures se beurrer un sandwich. Le dimanche, Gian Paolo venait donner un coup de main.

Deux mois plus tard, la chambre était prête et joliment tendue d'un papier peint lilas à rayures ton sur ton. Le mariage eut lieu et, malgré son sang-froid, Mme Buttafava dut essuyer une larme. Toutes les mères la comprendront.

Les premiers jours du jeune ménage furent parfaitement heureux. Un vrai ciel d'Italie, dirais-je, si, en la circonstance et l'affaire se passant à Rome, cette locution trouvait ici son emploi. Fiorella et son époux avaient pris une semaine de congé. Ils se levaient tard, traînaient dans la chambre. L'après-midi, ils allaient dans les magasins. Avec leurs deux émoluments, ils étaient, de la famille, les plus riches. Fiorella s'acheta une nouvelle robe et un tailleur, Gian Paolo s'offrit des cravates. Ou ils allaient au cinéma mais pas dans le cinéma du quartier qui était bon enfant et minable, non, ils allaient dans les grandes salles du centre. Bien plus, Gian Paolo leur fit un jour la surprise d'apporter un poste de télévision, engin dont jusqu'ici, par économie, la famille s'était passé. Sauf que la surprise ici fut aussi en sens inverse : Mme Buttafava, de sa fréquentation dans les grandes maisons, avait retiré la conviction que la télévision ne convenait pas aux gens comme il faut. Gian Paolo qui, heureusement, n'avait pris l'appareil qu'en location dut aller le reporter.

Puis vint le jour où il leur fallut retourner, Fiorella à son bureau, Gian Paolo à ses clients. Le matin, comme il est décent pour la femme d'un homme qui travaille, Fiorella se leva la première pour préparer le café. Dans la cuisine, elle trouva son père et Spencer Tracy qui s'occupaient du petit déjeuner de leurs épouses respectives tandis que l'albinos faisait chauffer un biberon, mission dont, tous les trois, ils s'acquittaient volontiers vu qu'ils avaient toute la journée pour se reposer. Fiorella en conçut quelque dépit.

– Vous auriez pu vous occuper de moi aussi. Comme avant.

Bartolomeo agita sans se presser un index qui, si on peut dire, déclinait toute responsabilité.

– Tu as un mari maintenant.

En regagnant sa chambre où Gian Paolo somnolait encore, Fiorella ne put se retenir de lancer une allusion. En vrai travailleur, Gian Paolo était imperméable aux allusions. Il ne releva même pas le propos. Le soir, ce fut pareil. Alors que ses sœurs, comme d'habitude, en rentrant, avaient trouvé leurs chambres rangées, le couvert mis et le dîner mitonnant, Fiorella, à sept heures, dut encore refaire le lit, passer l'aspirateur, courir chez le boucher et manier les casseroles. Lorsque la famille les héla pour aller au cinéma, Fiorella, exaspérée, en était encore aux premières cuissons.

– Tu pourrais au moins m'aider, dit-elle à son mari qui lisait le journal.

– J'ai travaillé toute la journée, rétorqua Gian Paolo offensé.

– Nous n'arriverons plus au cinéma.

– Oh! Le cinéma! Après tout ce que j'ai trotté aujourd'hui, je ne pense plus qu'à aller me coucher.

Et il était de mauvaise humeur par-dessus le marché!

– Je ne suis pas comme tes beaux-frères, moi. Je boulonne. Le soir, je suis fatigué.

L'axiome de Bartolomeo se vérifiait : le labeur, ça aigrit le caractère. Le lendemain, Gian Paolo rentra furieux. Un de ses clients lui avait manqué de parole. Fiorella, de son côté, à cause d'un incident de bureau, était grincheuse. Étant tous les deux nerveux, ils eurent une querelle et l'albinos dut intervenir pour les réconcilier. Trois jours plus tard, autre fâcherie, Gian Paolo s'étant plaint de son escalope et Fiorella lui ayant rétorqué avec aigreur que lorsqu'on ne peut faire ses courses qu'à sept heures du soir, on ne trouve plus que le rebut. Enfin, en une semaine, ce fut tout juste si Gian Paolo consentit à aller une fois au cinéma. Cette moyenne, pour Fiorella, était tout à fait insuffisante. Elle commença à se formuler des réflexions. A quoi lui servait-il d'avoir assez d'argent pour aller dans les plus beaux cinémas si elle ne pouvait même plus aller dans les minables? A quoi cela rimait-il d'avoir une situation plus brillante que ses sœurs s'il lui fallait s'éreinter plus qu'elles et si son mari devait être d'une humeur plus revêche que ses joyeux beaux-frères? Fiorella prenait conscience de cette vérité lumineuse et forte, à savoir que, si le temps sans argent est une misère, l'argent sans le temps en est une aussi, à peine moins grave. Au bout d'un mois, Fiorella en avait pris son parti. Un matin, le cœur battant, elle pénétra dans le bureau de son chef de service. Elle ouvrit la bouche, la referma et finit par énoncer qu'elle était mariée maintenant, que le ménage était l'honneur de la femme, qu'elle entendait s'y consacrer et que, par conséquent, elle donnait sa démission. Le chef de service en prit note et, n'ayant qu'à se louer de ses services, il lui offrit un cendrier publicitaire.

Bon. En dépit de quelques plaisanteries, du reste bénignes, de la famille, cette solution, apparemment, combinait le neuf et le raisonnable. Ayant pu faire quelques siestes, Fiorella déjà était de meilleure humeur. Le soir, en rentrant, Gian Paolo trouvait une chambre accueillante, un repas amoureusement cuisiné et une épouse fraîche comme la rose. Oui, dans le jeune ménage, tout allait bien.

Il n'en était pas de même pour le reste de la maisonnée. Peut-être ne connaît-on pas assez cette curieuse particularité des hommes : incapables de se passer des femmes, ils trouvent cependant une sorte de félicité à être sans elles, félicité tout ensemble gaillarde et un peu veule que la moindre présence féminine alors compromet. Jusque-là, une fois leurs femmes parties, les hommes de la famille Buttafava en avaient pris à leur aise. Dans cette maison livrée à eux, ils traînaillaient, se vautraient sur les lits en roulant des cigarettes, restaient en pyjama jusqu'à midi. Fiorella prétendit que sa dignité de femme en était offensée. Ils se résignèrent à s'habiller dès le matin mais leur humeur s'en ressentit. Estimant non sans raison que les travaux ménagers vont plus vite lorsqu'on est pressé, ils ne s'occupaient en général des lits et des casseroles que vers cinq heures du soir et, en attendant, ils jouaient aux cartes. Fiorella, bonne ménagère, en était révoltée.

– Comment pouvez-vous jouer aux cartes dans ce désordre? Rangez d'abord. Vous jouerez ensuite.

Cette observation, certes, était sensée. Elle déplut cependant. Spencer Tracy fit une allusion désobligeante. Fiorella y répondit. L'atmosphère tournait à l'aigre et, plusieurs fois, en rentrant, les épouses eurent la surprise de trouver des maris nerveux, irritables ou même franchement irrités. Ajoutez que Gian Paolo, la première euphorie passée, n'était pas si content non plus.

– C'est quand même incroyable, disait-il. Je suis le seul homme ici à travailler. Tes beaux-frères ont la vie facile.

On eût dit qu'il commençait à les envier.

Dans la quinzaine qui suivit, la situation empira. Fiorella ne désarmant pas sur la chronologie à établir entre les rangements et les cartes, les hommes prirent le pli d'aller faire leur partie dans un café qui n'était pas trop loin. Dans un café, on est tenu de boire. Sinon de quoi a-t-on l'air? L'équilibre budgétaire de la famille s'en trouva compromis. Si encore ce n'avait été que l'équilibre budgétaire... Dans ce café, Bartolomeo avait trouvé des habitués qui, en politique, ne partageaient pas ses vues. D'où des discussions dont il revenait la bouche amère et le visage ravagé de tics. Un autre jour, ce fut l'albinos qui eut à subir une plaisanterie sur son défaut de prononciation. Au facétieux, qui était chauve, il rétorqua avec esprit qu'il valait mieux avoir un cheveu sur la langue que de ne pas en avoir du tout sur la tête. Le chauve se fâcha. L'albinos recueillit dans cette affaire un œil sanguinolent qui, pendant quelques jours, donna des inquiétudes. Aux reproches de sa femme, il répondit par une bordée d'injures – les premières de sa vie.

C'est le soir de ces injures que Mme Buttafava enfin perdit patience. D'un geste agacé, elle imposa silence à l'albinos. Puis elle se leva et pénétra dans la chambre de Fiorella. Derrière son dos, à l'adresse de son fils, de ses filles, de ses gendres, l'excellent Bartolomeo cligna de l'œil. Dans le silence, derrière la porte, on entendit la voix furieuse de Gian Paolo.

– Mon travail! disait-il. Nous partirons! disait-il.

Dans la cuisine, Bartolomeo hocha sa grosse tête d'une manière rassurante. Mais non, Gian Paolo ne partirait pas. Mme Buttafava était là. Mme Buttafava saurait dominer cette tempête.

Vous pouvez passer maintenant devant la maison des Buttafava. Tout y est rentré dans l'ordre. Comme le printemps est arrivé, c'est devant le pas de la porte que les hommes font leur partie de cartes. Fiorella a repris son travail. Le matin, son mari se lève avant elle et lui prépare son petit déjeuner. Puis, comme son fond est bon et son naturel courtois, il la conduit jusqu'à l'autobus. L'autobus arrive. Fiorella y monte. Gian Paolo agite la main. Puis il rentre. On l'attend pour la partie. Parfois aussi il bricole. C'est plus fort que lui, il ne s'est pas encore fait à l'oisiveté totale. Vers cinq heures, c'est lui aussi qui donne le signal des travaux ménagers. D'ici peu, d'ailleurs, il va avoir en plus des biberons à faire tiédir. Comme il dit, ça lui fait du pain sur la planche.

Trois de perdues

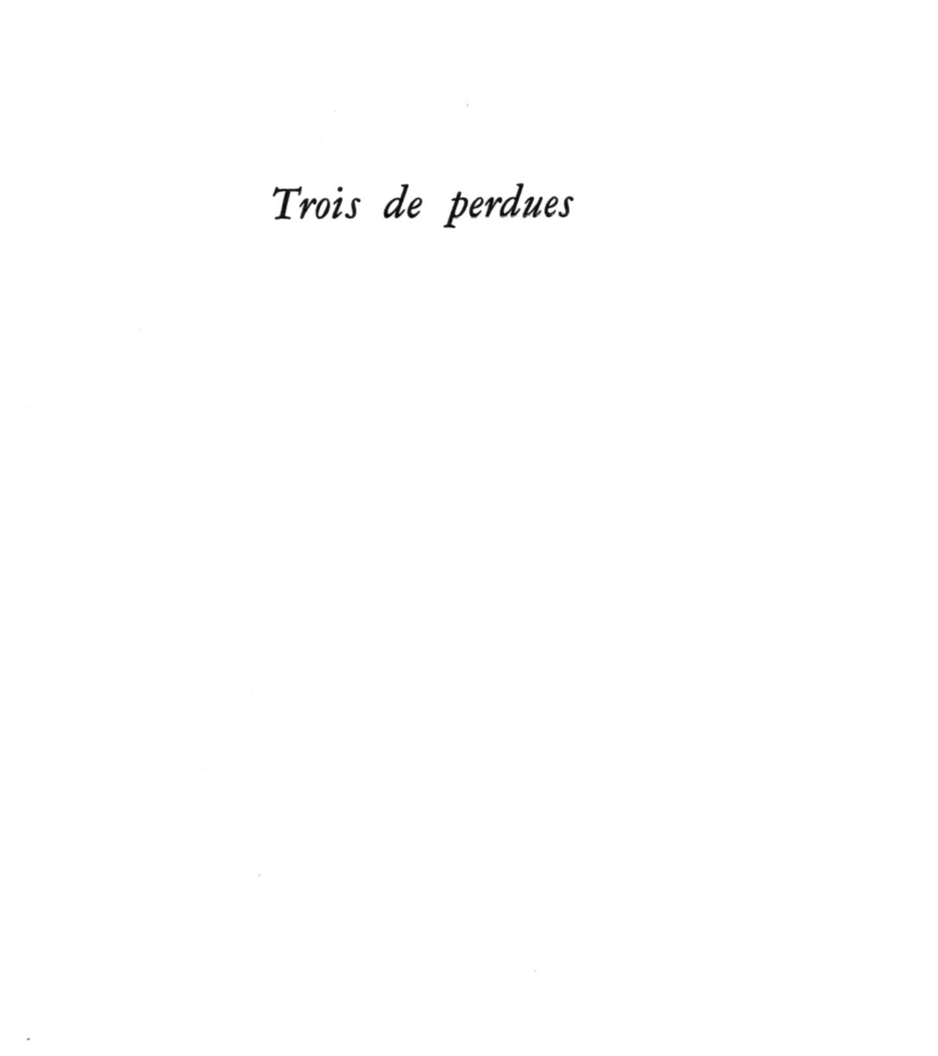

Le dimanche, elles faisaient de la bicyclette. Elles se retrouvaient chez Ingeborg, elles parlaient de choses et d'autres, pendant un moment, puis elles partaient, toutes les trois, sur leurs bicyclettes. Elles franchissaient un pont. A Copenhague, il y a un nombre incroyable de ponts. Presque tout de suite, commençait la campagne. Au milieu des jardins et des champs d'un vert laitue, avec un soleil frais comme une cruche, c'était un joli spectacle, ces trois jeunes guerrières, Frieda, Ingeborg et Sophie, dans leurs robes bleu lavande, rose pompon et rouge coquelicot.

Pendant la semaine, elles travaillaient. Sophie était vendeuse dans un grand magasin. Vu son humeur, qui était rieuse, vu sa bonne grosse figure réjouie, on l'avait affectée au rayon des joujoux. Lorsque, pour l'édification de ses jeunes clients, elle faisait fonctionner une petite auto, elle en éprouvait plus de plaisir qu'eux et parfois, aux heures creuses, elle faisait manœuvrer la petite auto pour elle toute seule. Ingeborg était d'un caractère plus sérieux. Secrétaire d'un grand marchand de bois, elle avait déjà de lourdes responsabilités. La blonde Frieda se situait entre les deux : elle était dactylo, dans un ministère, et, il faut bien le dire, elle ne s'intéressait à son travail que strictement de neuf heures du matin à cinq heures de l'après-midi. A six heures, tous les mardis et tous les vendredis, elle retrouvait ses deux amies à l'École Berlitz, cours de français. Frieda, sur son tout petit nez, mettait de grosses lunettes qui, croyait-elle, lui donnaient un air studieux, qui ne lui donnaient, en réalité, qu'une expression éberluée. Sophie crispait son gros visage et, après deux ans de cours, continuait à ne rien entendre à l'accord des participes. Ingeborg, elle, recueillait toutes les félicitations. Elle les recevait avec une tranquille majesté. Pour la fête du professeur, c'était elle qui s'était chargée du compliment. En vers. Avec même une allusion à Ronsard. « Comment as-tu fait? » demandait Sophie au comble de la stupeur.

Ce cours de français, les exquises cadences de la langue, les bonnes manières du professeur, qui était bel homme et qui évoquait souvent avec nostalgie la rue Lepic, le désir impatient qu'avait Ingeborg de confronter son accent avec celui des grands boulevards, la fringale que suscitait en Frieda la seule évocation des Champs-Élysées et de la rue de la Paix, la fréquentation enfin des bons auteurs, de Ronsard à Jacques Perret (lequel, comme on sait, est particulièrement populaire au Danemark), tout cela avait fait moutonner dans ces trois têtes un grand projet : un voyage à Paris. Les trois jeunes filles en parlaient depuis longtemps. Vers le début d'avril, le projet prit corps. En ce qui concernait les congés à prendre, cela pouvait s'arranger. Les économies nécessaires avaient été rassemblées. Frieda précisément avait fait l'emplette d'un tailleur et Ingeborg d'un nouveau manteau, vert billard. Le 22 avril, dans la soirée, Frieda, Ingeborg et Sophie prenaient le train pour Paris. Aux anges, comme on peut le penser, les joues roses, les yeux brillants, le guide sous le bras, l'appareil photographique en bandoulière, voyant déjà se profiler à l'horizon la tour Eiffel et Notre-Dame, le Louvre et la rue Lepic. Ajoutez que, pour toutes les trois, c'était la première fois qu'elles voyageaient en wagon-lit. Autre émotion.

Le lendemain, habillée la première, Frieda passa dans le couloir. Elle y trouva deux jeunes garçons qui regardaient défiler le paysage mais qui bientôt, comme il est trop naturel, n'eurent d'yeux que pour elle. L'un des deux, un grand blond, s'enhardit et lui demanda si elle avait bien dormi. Elle avait bien dormi, merci. Bref, quand Ingeborg sortit à son tour, elle trouva la conversation déjà sérieusement engagée. Elle s'y mêla et Sophie aussi, lorsqu'elle eut enfin mené à bien sa toilette. Ces deux garçons étaient d'ailleurs agréables, assez drôles, un peu fous ou, du moins, s'efforçant de le paraître, ce qui était de leur âge. Eux aussi, ils allaient à Paris, mais ils y reprenaient immédiatement le train pour la Côte d'Azur. Ils étaient étudiants. Le grand blond s'appelait Rudolf; l'autre, qui était roux, Carl.

Tantôt dans les compartiments, tantôt dans le couloir, la matinée passa assez vite. Vers midi, c'est tous ensemble qu'ils se dirigèrent vers le wagon-restaurant. Là, il y eut un cas de conscience. Les tables n'étant que pour quatre, il fallait qu'un des cinq se résignât à déjeuner tout seul. Avec la cruauté des amoureux, les deux garçons auraient volontiers sacrifié Sophie car déjà ils se posaient en prétendants déclarés, l'un d'Ingeborg, l'autre de Frieda.

– Ou trois d'un côté, deux de l'autre, proposa Rudolf dans un mouvement d'enthousiasme.

La sage Ingeborg s'y opposa. Elles étaient trois. Elles resteraient trois. Ce fut le malheureux Carl qui dut s'installer à la table voisine, ce qui ne l'empêcha pas de se mêler à la conversation, par-dessus le dossier et en dérangeant beaucoup ses voisins. Rudolf, lui, très lancé, évoquait Paris où il avait déjà fait un séjour, Montmartre, Montparnasse, les boulevards, Maxim's, le Lido... Et la rue Lepic? Non, il ne connaissait pas la rue Lepic. Les jeunes filles en furent étonnées.

– Et les hôtels? demanda Ingeborg toujours pratique. Vous ne connaissez pas un bon hôtel?

– Un bon hôtel? Certainement.

Rudolf prenait l'affaire en main.

– J'en connais un excellent. Calme, confortable. Vous y serez très bien. Tenez, je vais vous y conduire. Nous avons largement plus d'une heure avant notre train pour Nice. Ah, mais à une condition : après l'hôtel, vous nous accompagnerez à la gare.

Cette prétention souleva de rieuses protestations.

– De grands garçons comme vous!

– C'est ridicule, disait Ingeborg. Après ce voyage! Nous devons nous changer.

– Un service en vaut un autre, rétorquait Rudolf. Nous vous indiquons un hôtel. Vous nous conduisez à la gare.

– Mais pourquoi?

– Cela nous fera une heure de plus où nous serons ensemble.

– Vous êtes des bébés!

– Justement, des bébés, on ne les laisse pas s'embarquer tout seuls.

Par-dessus le dossier, sa tête entre celle de Frieda et de Sophie, Carl faisait l'enfant.

– Gna, gna, gna, veux qu'on me conduise à la gare, moi. Sinon, je pleure...

– Pas de gare, pas d'hôtel!

Bon, on leur ferait ce plaisir. A l'arrivée à Paris, Rudolf prit la tête de la troupe. Il héla un taxi, s'assit à côté du chauffeur et, en vieil habitué de Paris, lui donna des indications infinies que l'autre fit semblant d'écouter. Seulement, avec la circulation qu'il y avait, lorsqu'ils arrivèrent à l'hôtel, il ne restait plus que trente-cinq minutes pour le train de Nice. Très agité, Rudolf fit presser le mouvement.

– Allons! Courons! Il est temps.

– Mais nos chambres! Nous voulons voir nos chambres!

– Vous les verrez plus tard. Elles sont très bien, vos chambres. Je les connais. Déposez vos valises et partons! Nous allons manquer le train.

Ils étaient dans le hall de l'hôtel. Carl s'agitait autour des valises. Rudolf frappait dans ses mains. La tête perdue, Sophie gloussait. Frieda, hâtivement, se repeignait. Ingeborg et l'employé de la réception échangèrent un sourire : ils étaient dépassés par toute cette pétulance.

– Ces demoiselles reviendront d'ici une heure, dit Rudolf. Faites déjà monter leurs bagages. Allons! En route!

– Bien, dit l'employé de la réception.

Les re-voilà dans le taxi. Une rue, une autre rue, les feux rouges, les feux verts...

– Regardez! La place de la Bastille...

La gare.

– Je vous prends des billets de quai...

Il restait cinq minutes. On échangea encore des adresses, des numéros de téléphone. On se reverrait à Copenhague. Ce serait merveilleux. Sophie, à qui on ne demandait rien, se contentait d'agiter la main, plus émue que les autres, tant elle avait un heureux caractère. Le train partit. Étourdies, Frieda, Ingeborg et Sophie se retrouvèrent devant la gare de Lyon.

– Allons aux Champs-Élysées, dit Frieda. Je veux voir les Champs-Élysées.

Elles s'absorbèrent dans l'étude de la carte du métro que la prudente Ingeborg avait emportée. Heureusement, la ligne était directe. Elles débarquèrent au rond-point des Champs-Élysées. Sans se presser, elles remontèrent l'avenue. Que c'était beau ! Tous ces magasins, ces vitrines, ces lumières, cette foule ! Un soleil léger dorait l'Arc-de-Triomphe. Ingeborg, Sophie et Frieda se sentaient comme chez elles.

– Rentrons maintenant, dit Ingeborg.

Il y avait là des taxis. Elles en prirent un.

– Chauffeur, dit Ingeborg en s'appliquant à bien parler français, veuillez, s'il vous plaît, nous conduire à...

Elle se tourna vers Frieda qui, du fond de la voiture, la bouche ouverte, regardait les passants.

– Comment s'appelle l'hôtel ?

– L'hôtel ? dit Frieda.

Le beau visage régulier d'Ingeborg pâlit.

– Tu ne sais pas le nom de l'hôtel ?

– Non, dit Frieda comme si cela allait de soi.

– Eh bien ? dit le chauffeur. On se décide ?

Ingeborg posa la main sur le bras de Frieda.

– Et le nom de la rue ? Tu n'as pas regardé ?

– Mais non, dit Frieda.

Elle avait répondu d'une manière encore assez naturelle. Brusquement, une lueur d'épouvante passa dans son regard bleu.

– Tu...

D'un même mouvement, elles se tournèrent vers Sophie. Mais pouvait-on compter sur Sophie qui ne faisait jamais attention à rien? Non, on ne pouvait pas compter.

– Je ne sais pas, dit-elle.

S'établit, pour quelques secondes, un silence vertigineux. Ingeborg enfin prit son courage à deux mains.

– Monsieur le chauffeur...

A vrai dire, ce qui dominait en elle, c'était moins la détresse que la honte. Ces Français, qu'allaient-ils penser? Elle toujours si sérieuse...

– Monsieur le chauffeur...

Le chauffeur s'était retourné, le bras sur son volant. C'était un garçon assez jeune, mais au visage grave, réfléchi, avec une mince moustache.

– Nous avons oublié le nom de l'hôtel.

Le mot « oublié » n'était pas tout à fait juste. C'était le dernier vestige du pauvre orgueil d'Ingeborg.

– Oublié! dit le chauffeur. Bah, c'est dans quelle rue?

– La rue aussi, nous avons oublié...

– La rue aussi...

Il fronça les sourcils.

– Vous avez de quoi payer la course au moins?

– Bien sûr, dit Ingeborg en prenant son sac.

Le chauffeur s'était déjà radouci.

– Ce que j'en disais...

Puis, comme s'il y repensait :

– Alors, comme ça vous avez oublié le nom de l'hôtel... Et le nom de la rue... Ce n'est pas banal.

Il rêva un moment là-dessus. Ingeborg le regardait avec anxiété.

– Qu'est-ce que je fais? dit enfin le chauffeur.

– Je ne sais pas, dit Ingeborg en éclatant en sanglots.

La détresse maintenant l'emportait. Elle avait vaguement espéré que le chauffeur trouverait une solution.

– Voyons, dit le chauffeur. Ça doit pouvoir s'arranger...

Il se passa la main dans la nuque.

– Je dis ça mais je ne sais pas par où commencer. Vous ne connaissez personne à Paris?

– Non.

– Si on allait au commissariat? Vous n'avez rien contre?

– Contre quoi?

– Contre le commissariat.

– Oh, non, dit Ingeborg froissée.

Le taxi démarra, roula, s'arrêta. Avant d'entrer dans le commissariat qui était à un coin, Ingeborg recula de deux pas, regarda le nom de la rue. C'était la rue Clément-Marot. Ce nom la rassura un peu. Elle le connaissait, ce Marot. C'était un ami de Ronsard.

Au commissariat, d'abord, l'inspecteur prit la chose assez légèrement.

– Allons, allons, il ne faut pas vous en faire. Ça arrive, ces choses-là. Tenez, moi, parfois, je cherche mon crayon et je l'ai sur l'oreille.

C'était une salle à plafond bas, divisée en deux par un comptoir. Le chauffeur était toujours là, très intéressé.

– Faites un effort, reprit l'inspecteur sur un ton câlin. C'est un nom de ville, peut-être... Hôtel de Rome.... Hôtel de Londres... Hôtel...

– Hôtel de Roubaix, suggéra le chauffeur.

Frieda plissait son petit nez. Sophie avait son expression tendue du cours de français.

– Non, dit Ingeborg avec effort. Nous ne l'avons pas oublié. Nous ne l'avons même pas regardé.

– Hein! dit l'inspecteur. Vous êtes descendues dans un hôtel dont vous ne connaissiez même pas le nom? Ça alors!

Il prenait le chauffeur à témoin.

– C'est des Danoises, dit le chauffeur en manière d'explication.

– Je vous ai dit que nous étions avec des amis.

– Ah, oui, des amis...

L'inspecteur, visiblement, retrouvait avec soulagement un univers plus familier.

– Des amis qui vous ont emmenées dans un hôtel...

– C'est ça! dit Sophie ravie de voir les choses si bien résumées.

– Mais non! dit Ingeborg outrée. Ce n'est pas ça du tout. Ce sont deux étudiants qui étaient dans notre train. Ils connaissaient un hôtel. Ils nous l'ont indiqué.

– Et où sont-ils, ces deux étudiants?

– Eh bien, ils ont pris le train pour la Côte d'Azur.

– La Côte d'Azur maintenant..., dit l'inspecteur accablé.

– Nous avons été avec eux jusqu'à la gare.

– Et vous n'avez aucun point de repère? Vous n'avez rien remarqué? Une rue, une place, des arbres, est-ce que je sais?

– Oui, dit Sophie.

On se tourna vers elle.

– La place de la Bastille, dit-elle. Le taxi a traversé la place de la Bastille.

En guise de félicitation et d'un geste affectueux, le chauffeur de taxi lui serra le bras. Sophie était rouge de fierté.

– Ah! dit l'inspecteur, voilà enfin quelque chose de sérieux. Et un pont? Vous n'avez pas vu un pont?

– Non, dit Ingeborg. Je l'aurais remarqué.

– On croit ça, dit l'inspecteur. Les ponts, vous savez...

Il se leva, alla se planter devant un plan de Paris qui occupait le fond du bureau.

– Tout ce qu'on peut en conclure, c'est que votre hôtel se trouve propablement sur la rive droite. Ça nous fait une belle jambe.

– On peut téléphoner, dit Ingeborg.

– A tous les hôtels de la rive droite?

– Ou le consulat? suggéra Frieda.

– Qu'est-ce qu'il fera, le consulat? Si encore on avait les fiches. Maintenant qu'on les a supprimées...

L'inspecteur s'assit et, rêveusement, il se passa l'index le long du nez.

– Non, franchement, au moins pour aujourd'hui, je ne vois aucune solution. Nous ne pouvons compter que sur votre hôtelier. A la longue, en ne vous voyant pas revenir, il va finir par s'inquiéter. Normalement, il devrait avertir la police. Seulement, quand le fera-t-il? Pas ce soir évidemment. Il faut attendre. Je vais alerter la Préfecture et les commissariats. Allez dans un autre hôtel et, quand vous serez installées, faites-moi savoir où je peux vous téléphoner.

– Oui, dit Ingeborg.

Et elle rougit.

– Ça ne va pas? demanda l'inspecteur.

– Oui, dit Ingeborg. Mais mes amies m'avaient confié tout leur argent. Vous comprenez, je suis la plus sérieuse.

– Ah, ah, dit l'inspecteur. Il ne faut pas demander... Et alors?

– Cet argent, je l'ai mis dans ma valise.

– Enfin, vous avez bien quelque chose sur vous?

On fit un rapide inventaire.

– Eh bien, ça va. Vous avez de quoi manger pendant deux jours.

– Je m'en occupe, dit brusquement le chauffeur.

Elles regagnèrent le taxi. Là, le chauffeur se tourna vers ses clientes.

– Ces flics ne connaissent rien à la vie, dit-il. Votre hôtelier, je vous le dis, s'il prévient la police avant trois ou quatre jours, c'est déjà bien beau. Mettez-vous à sa place. Il a vos valises. Il n'a aucune raison de s'agiter. Je peux vous conduire dans un hôtel mais, si vous arrivez sans bagages, on vous fera payer d'avance. Si ça se trouve, après-demain, vous n'aurez même plus de quoi acheter des sandwiches.

C'était drôle. En parlant, il regardait Sophie. Sophie regardait Ingeborg. Ingeborg regardait le chauffeur.

– C'est vrai, dit-elle.

Le chauffeur hésita encore une seconde puis, d'un air décidé :

– Venez plutôt chez moi.

– Chez vous? dit Ingeborg suffoquée.

– Ne le prenez pas comme ça, dit le chauffeur. J'irai coucher chez un ami, à Courbevoie. C'est de bon cœur.

– Cela va vous déranger...

– Pensez! Il y a de la place. J'habite en banlieue. J'ai gardé la maison de mes parents. Alors, je vous emmène?

– Et le téléphone? dit encore Ingeborg. Le commissariat doit nous téléphoner.

– Ah ça, je n'ai pas le téléphone. Mais ça ne fait rien. Je travaille surtout dans le quartier. Deux ou trois fois par jour, entre deux courses, je passerai au commissariat. C'est dit?

Puis :
– Je m'appelle Raymond.

*

Danoises, elles dormaient la fenêtre ouverte. Le lendemain matin, Ingeborg fut réveillée par les oiseaux. A côté d'elle, dans le grand lit à boules de cuivre, ses cheveux blonds épars sur l'oreiller, Frieda dormait encore et un rayon de soleil qui passait entre les rideaux d'un rouge vineux lui caressait le bout du nez, ce qui était viser juste, le nez de Frieda, comme on sait, étant fort petit.

Ingeborg se leva, passa son manteau vert billard, alla jusqu'à la fenêtre. Devant la maison, s'étendait un court jardin, assez mal tenu. Au-delà, de l'autre côté de la rue, il y avait un autre jardin, plus vaste, avec de grands arbres. Ingeborg s'étira. Ces arbres, ces oiseaux, ce soleil – et, détail qui lui plut, un chat en porcelaine sur le toit d'une maison voisine –, tout cela lui rendit son habituelle égalité d'humeur. Rationnelle, elle procéda à quelques exercices de gymnastique, puis elle s'habilla et, tel était son caractère, elle alla dans le voisinage faire l'emplette de trois brosses à dents et d'un tube de dentifrice. L'achat de trois brosses à dents, à huit heures du matin, à Meudon, il y avait longtemps que cela ne s'était plus vu.

En rentrant, Ingeborg trouva Sophie qui, affublée d'une salopette, préparait le café. Elle avait même trouvé une assez jolie nappe. Frieda, elle, se mettait du rouge devant un miroir grêlé. Après le petit déjeuner, elles procédèrent à un examen des lieux. La veille, encore abasourdies par leur mésaventure, elles s'étaient couchées sans rien regarder. La maison étant exiguë, cet examen prit peu de temps. Frieda s'extasia sur une boîte en coquillages, souvenir de Bénodet. Ingeborg proféra quelques remarques d'ordre général sur l'habitat français. Sophie soupira.

– Pauvre garçon! dit-elle. On voit qu'il n'a personne pour s'occuper de lui.

Déjà lorsqu'il est formulé en français, ce propos est redoutable. En danois, ses effets sont terrifiants. Un quart d'heure plus tard, la maison était sens dessus dessous. Un foulard noué autour de ses cheveux, Ingeborg, avec des ahans de débardeur, déplaçait une armoire dont la situation, à son sens, manquait de logique. Après avoir retourné les matelas et les avoir exposés aux fenêtres, Sophie s'occupait à décaper le réchaud où d'antiques frichtis avaient laissé des stigmates. Frieda avait été envoyée dans les négoces voisins pour acheter divers produits d'entretien, dont trois boîtes de savon en poudre. Ce savon permit une lessive générale de tout ce qu'on put trouver, jusques et y compris les rideaux. Lorsque, vers six heures, Raymond arriva, il crut ne pas reconnaître sa maison. Elle brillait comme un navire dix minutes avant l'inspection de l'amiral. De la clôture en bois – maintenant redressée – jusqu'à la porte – dont la poignée brillait –, le sentier avait été dégagé. Harassées mais heureuses, ayant parfaitement oublié Notre-Dame et la rue Lepic, Ingeborg et Sophie avaient encore des taches sur le nez et Frieda une brindille dans les cheveux.

– Eh bien..., dit Raymond.

Ne sachant comment exprimer son admiration, il émit un sifflement. Puis :

– Je suis passé deux fois au commissariat. L'hôtel n'a toujours pas averti. Je vous l'avais bien dit.

Il avait cru devoir prendre un air navré. En pure perte.

– Tant pis, dit Sophie. Au fond, on peut très bien vivre sans valises.

Elle avait changé, Sophie. On eût dit qu'il y avait dans les événements quelque chose qui l'avait réveillée. Elle parlait, donnait son avis, prenait des décisions.

– J'ai apporté de quoi dîner, dit encore Raymond.

De son taxi, il retira divers paquets. Après le dîner, ils allèrent au cinéma. Il y en a un là, tout près, en haut de la côte. Le film étant fort sentimental, Raymond s'en autorisa pour prendre la main de Sophie. Sophie ne la retira pas et Raymond se formula que, de sa vie, il n'avait vu un aussi beau film. Voilà pourtant comment se font les opinions. Au retour, prétextant que la rue était mal pavée, il prit le bras de Sophie et il se dit que cette rue était bien courte. Enfin, il prit congé, remonta dans son taxi et, sifflant comme un merle, dodelinant de la tête, prenant ses virages comme un valseur, il s'enfonça dans la nuit.

Le lendemain, leurs fureurs ménagères apaisées, Frieda, Ingeborg et Sophie allèrent visiter Paris. Notre-Dame leur plut beaucoup. La Sainte-Chapelle était très bien aussi. A la Conciergerie, elles frémirent. Pauvre Marie-Antoinette! En revanche, la rue Lepic les déçut. Ce n'était pas mal, elles en convenaient, mais y avait-il là vraiment de quoi en parler jusqu'à Copenhague? Puis toute cette circulation... Elles mirent dix minutes pour traverser la place Clichy et c'est avec un sentiment de soulagement qu'elles se retrouvèrent dans la petite maison de Meudon.

Raymond, lui, comme promis, s'était rendu au commissariat. Le matin, il n'y avait toujours rien. L'après-midi, l'inspecteur l'accueillit avec de grands gestes.

– C'est arrangé! Il y a un hôtel qui a téléphoné à la Préfecture pour signaler que trois clientes, après avoir déposé leurs valises, n'avaient plus donné signe de vie. C'est l'hôtel d'Ascaing, rue des Pyramides. Mes compliments à ces demoiselles. Et dites-leur que, la prochaine fois, elles achètent un agenda.

Ravi, Raymond se précipita dans son taxi. Rien n'apparente plus l'homme à un dieu que d'être porteur d'une bonne nouvelle. L'âme en fête, Raymond appuyait sur l'accélérateur.

Seulement, même avec le pied sur l'accélérateur, de la rue Clément-Marot à Meudon, on a le temps de réfléchir. Arrêté aux feux rouges, Raymond avait jeté un coup d'œil sur les paquets qu'il rapportait pour le dîner. Ces paquets lui avaient inspiré d'amères pensées. Allaient-ils servir seulement? Ces demoiselles n'allaient-elles pas se précipiter toutes affaires cessantes vers leurs valises et vers le confort de l'hôtel, supérieur, certes, à celui de sa maison? Qui sait même si, méconnaissant son geste et son cœur, elles n'allaient pas offrir de lui payer sa course, le rejetant ainsi dans ce néant dont le hasard seul l'avait fait émerger? En était-ce donc fini de cette exquise intimité?

– Eh! le feu est vert!

– Pardon, je n'avais pas vu.

C'était trop tôt. Comment, en quarante-huit heures, aurait-il pu faire partager à Sophie le sentiment qui le brûlait? A moins de brusquer les choses, à moins de lui parler dès ce soir... A cette seule idée, Raymond pâlit. Malgré son métier, il était timide. Tout comme un autre, il savait très bien lancer quelques apostrophes insultantes. De là à déclarer sa flamme... Demain, oui. Ou après-demain. Mais

Sophie serait partie. Qu'est-ce qui lui avait pris, à cet hôtelier, de téléphoner si vite? Ne pouvait-il pas attendre encore un jour ou deux? Un autre aurait attendu, certainement. C'était trop bête, trop injuste.

Le taxi s'arrêta. Raymond descendit. En lui, le bien et le mal (mais quel bien? quel mal?) se disputaient encore. Sophie était dans le jardin. Elle eut un joli geste de la main. Le geste fit définitivement basculer la conscience de Raymond.

– Je suis passé au commissariat, dit-il. Il n'y avait encore rien.

– Pas de chance, dit Sophie radieuse.

*

Cependant, sous d'autres cieux, l'amour avait opéré d'autres ravages. Déjà, pendant le trajet Paris-Nice, Carl et Rudolf n'avaient pas tari sur les mérites et agréments respectifs de Frieda et d'Ingeborg. En débarquant à Nice, Carl proféra :

– Au fond, nous aurions pu aussi bien rester à Paris.

Cette réflexion devait faire du chemin. Une fois qu'on n'est plus très sûr des raisons qu'on a de se trouver dans un endroit, les charmes de cet endroit s'effilochent. Devant la mer, Carl évoquait le bleu regard de Frieda; devant les palmiers, Rudolf se rappelait la fière stature d'Ingeborg; devant les éventaires de fleurs, ils pensaient à celles qu'ils auraient pu leur offrir... Combien de douzaines de roses dans le prix d'un aller-retour Paris-Nice? Et combien de soirées dans de prestigieuses boîtes de nuit où ils auraient pu danser l'un avec Frieda, l'autre avec Ingeborg, une joue parfois effleurant les leurs? Vers six heures, dans leur dépit, ils firent une tentative auprès de deux jeunes Anglaises. Il faut croire que la tentative manquait de conviction. Les deux Anglaises les envoyèrent promener. La soirée fut mortelle, le lendemain morose. A trois heures de l'après-midi, son tonus vital ayant monté de quelques crans à la suite d'une forte bouillabaisse, Rudolf empoigna le problème à bras-le-corps.

– Elles comptaient passer huit jours à Paris. Si nous partons ce soir, cela ferait encore cinq ou six jours...

Le lendemain, ils arrivaient à l'hôtel d'Ascaing. Ce fut pour s'y trouver nez à nez avec l'inimaginable : ces demoiselles avaient disparu.

– Disparu?

– Parfaitement.

Vu l'étrangeté de la chose, le directeur lui-même s'était dérangé. C'était un gros homme, à lunettes, chauve et, dans l'ensemble, assez majestueux.

– Mais c'est incroyable, ça!

– Je ne vous le fais pas dire. Elles sont venues...

– Avec vous, vous vous en souvenez, dit l'employé de la réception, zélé.

– Nous nous en souvenons, témoigna Carl.

– Eh bien, depuis, plus de nouvelles! Je trouve même que c'est un drôle de genre, conclut le directeur sur un ton de blâme tempéré.

– Et les valises?

– Les valises sont toujours là.

Rudolf et Carl se regardèrent. Il y avait là quelque chose qui n'allait pas.

– Peut-être ces demoiselles n'ont-elles pas trouvé mon

hôtel à leur goût, reprit le directeur en promenant un regard d'incompris sur les quatre fauteuils et les plantes vertes qui garnissaient le hall.

– Comment auraient-elles pu? dit Rudolf avec feu. Elles n'avaient même pas vu les chambres.

– Je me disais aussi, énonça le directeur.

– Il faut avertir la police.

– Ah, mais je l'ai déjà fait, monsieur! Hier, je me suis décidé. Non sans quelques scrupules. Les clients, en principe, il vaut mieux ne pas s'occuper de leurs histoires. Mais, avec ces valises... J'avais une responsabilité...

A ce moment, le téléphone sonna. D'un geste ample, le directeur décrocha.

– Allô... Oui... Ah!... Je prends bonne note, monsieur. Mais j'ai ici précisément... Je... Monsieur! monsieur!...

Éloignant l'écouteur de son oreille, il le regarda d'un air perplexe.

– Il a raccroché, dit-il. C'était à propos de ces valises, justement. Il m'a dit de ne pas s'inquiéter, que ces demoiselles étaient dans leur famille, qu'elles ne viendraient prendre leurs valises que dans deux ou trois jours.

– Dans leur famille? dit Rudolf. Elles ne connaissent personne à Paris. Elles nous l'ont dit.

– Et pourquoi n'ont-elles pas téléphoné elles-mêmes? enchaîna Carl. Pourquoi cet homme? Qui est-il?

Rudolf avait les yeux bleus, Carl des yeux marron, le directeur des yeux pâles et glauques. Dans les trois regards, se lisait la même stupeur agrémentée, chez les deux étudiants, d'une pointe d'inquiétude. Tout cela était louche. Avec tout ce qu'on raconte de Paris...

– Il faut encore téléphoner à la police.

– Je l'ai déjà fait, dit le directeur. Pour moi, tout est simple. On me dit de garder des valises. Je les garde.

– Et vous n'avez aucune indication? L'individu qui vous a téléphoné n'a rien dit?

– Si. Il m'a dit : j'ai été averti par le commissariat de la rue Clément-Marot.

Vingt minutes plus tard, les deux étudiants faisaient irruption dans le commissariat.

– Hein? dit l'inspecteur. Comment? Ah, non, reprit-il avec force. Non! Ce n'est plus une vie! D'abord on m'amène trois Danoises qui ont perdu leurs valises. Maintenant ce sont trois valises qui ont perdu leurs Danoises! On n'en sortira jamais! Ils sont tous comme ça au Danemark? Que voulez-vous que je vous dise? Elles sont quelque part, certainement.

– Mais où?

– Ça! dit l'inspecteur.

Il eut un geste vers le plan de Paris.

– Paris est grand.

– Il faut les rechercher.

– Sous quel prétexte? Vous seriez leurs pères et mères... Non. Je me trouve devant deux jeunes gens qui me disent : nous avons perdu trois jeunes filles, aidez-nous à les retrouver. Ce n'est pas le rôle des commissariats.

– Et les valises? Vous trouvez ça naturel?

– Elles ont fait téléphoner qu'elles viendraient les prendre dans deux ou trois jours. Je ne peux pas mettre en branle toute la police parce que trois jeunes filles n'ont pas été chercher leurs valises. Après tout, c'est hier seulement qu'elles ont été averties. Elles sont peut-être occupées...

– A quoi?

– Je vous le demande! Il y a tant de choses à faire. Supposez qu'elles soient allées visiter les châteaux de la Loire.

– Sans leurs valises?

– Elles sont peut-être avec un homme qui leur en a acheté d'autres ...

– Non! dit Rudolf indigné. Vous les avez vues. Ce n'était pas leur genre.

– C'est vrai, dit l'inspecteur. Ce n'était pas le genre. Surtout la grande...

– Ingeborg! dit Rudolf avec ferveur. Vous dites que vous les avez averties. Quand les avez-vous revues?

– Je ne les ai pas revues. C'est le chauffeur de taxi.

– Quel chauffeur de taxi?

– Oh! dit l'inspecteur excédé. Le chauffeur de taxi! Celui qui me les avait amenées. Il est reparti avec elles. Puis il est revenu en me disant qu'elles l'avaient chargé de se tenir au courant.

Dans la rue, Carl exposa son idée : avant tout, il fallait retrouver ce chauffeur de taxi. Cela ne devait pas être impossible. Si Frieda, Ingeborg et Sophie avaient échoué au commissariat de la rue Clément-Marot, commissariat qu'aucun Baedeker ne recommande particulièrement aux touristes, c'était, de toute évidence, que ce chauffeur les avait trouvées dans les parages. C'était peut-être – l'espoir était ténu, mais à quoi d'autre se raccrocher? –, c'était peut-être qu'il y avait lui-même ses habitudes. Dans ces conditions, il ne restait qu'à interpeller, l'un après l'autre, tous les chauffeurs de taxi du quartier.

– Lumineux! dit Rudolf en interpellant déjà, à toutes fins utiles, un taxi qui passait.

Il était onze heures. A quatre heures et demie, place de l'Alma, ils trouvèrent enfin un chauffeur qui leur dit :

– Trois jeunes filles? J'ai entendu quelque chose dans ce goût-là...

Il interpella un de ses collègues, un vieil homme à moustache tombante et à joues ravinées qui s'occupait à passer un chiffon jaune sur son pare-brise.

– Dis, ce n'est pas ton pote qui, l'autre jour, a chargé trois bergères qui avaient oublié le nom de leur hôtel?

Le vieux chauffeur s'approcha et considéra les deux étudiants.

– Peut-être bien, dit-il enfin.

– Comment il s'appelle déjà? Raymond, non? reprenait le premier chauffeur.

– Raymond, oui, peut-être bien, répondit comme à regret le vieux chauffeur qui, décidément, était d'un naturel réservé.

– C'est un de vos amis? demanda Rudolf.

– Je le connais.

– Vous pouvez nous donner son adresse?

Le vieux prit son temps.

– Qu'est-ce que vous lui voulez, à Raymond?

– C'est une affaire très grave. Nous devons le retrouver.

Le vieux chauffeur restait circonspect. Il faut dire qu'après cinq heures de recherches et de rebuffades, Carl et Rudolf commençaient à présenter tous les signes d'une agitation qui pouvait paraître suspecte. Ajoutez que, lorsqu'on s'exprime dans une langue qui n'est pas la sienne, on a tendance à négliger la nuance. Leur ton s'était fait rugueux.

– Conduisez-nous chez lui.

– C'est que c'est loin.

– Il y aura un bon pourboire.

Le chauffeur eut encore un regard pensif.

– Bien. Allons-y.

Le taxi partit. S'arrêta.

– Déjà? dit Carl.

– Non. Ce n'est pas ici. J'en ai pour une minute.

Le chauffeur descendit, tourna le coin, entra dans le commissariat. L'inspecteur y était, occupé à noircir du papier.

– J'ai là deux clients, dit le chauffeur. Ils veulent que je les conduise chez un de mes collègues.

– Et alors?

– Ça ne me paraît pas catholique. Qu'est-ce qu'ils lui veulent, à mon collègue? Je vous dirai qu'en mil neuf cent soixante-dix-huit, j'ai eu comme ça deux gangsters qui m'ont débarqué en pleine campagne, à Bougival. J'ai dû me taper la route à pied et, pendant ce temps, ils se servaient de ma bagnole pour le hold-up de la rue Vivienne. Depuis, j'ouvre l'œil.

Pour illustrer son dire, il se mit l'index sous l'œil droit.

– Ils parlent de trois jeunes filles. Trois Danoises, à ce qu'il paraît.

– Les Danoises!

Accablé, l'inspecteur abattit ses deux poings sur la table.

– Les Danoises!

Il en gémissait.

– J'en ai pour toute la vie, alors!

Il soupira, se leva, sortit, le chauffeur sur ses talons.

– Où sont-ils?

– Pensez, dit le chauffeur d'un air rusé. Pour qu'ils ne se doutent pas, je me suis arrêté dans l'autre rue.

– Alors? dit l'inspecteur en ouvrant la portière. C'est encore vous?

– Nous avons trouvé le chauffeur, dit Rudolf très excité. Il s'appelle Raymond. Son collègue va nous conduire chez lui. Nous sommes sur la piste.

– Ce sont des gangsters, hein? dit le chauffeur.

L'inspecteur haussa les épaules.

– Non, dit-il. Ce ne sont pas des gangsters. Ce sont des Danois.

– Vous venez avec nous, bien entendu...

– Qui? Moi? Pourquoi?

– Je m'attends au pire, dit Rudolf.

L'inspecteur eut une moue désabusée.

– Les femmes! dit-il, malheureusement sans développer cette idée intéressante.

– Pardon! reprit Rudolf. Il y a encore un détail que j'ai oublié de vous signaler. L'individu qui a téléphoné a prétendu que ces demoiselles étaient dans leur famille. Or, aucune des trois n'a de famille à Paris.

Il se pencha, attrapa l'inspecteur par le revers de son veston.

– Je flaire une histoire de traite des blanches.

L'inspecteur eut son geste favori : l'index le long du nez.

– Allons voir, dit-il.

Le taxi repartit, roula, fut pris dans un encombrement, en sortit, s'arrêta enfin devant la petite maison.

– C'est ici, dit le vieux chauffeur.

Il y avait du soleil. Au-delà de la clôture en bois, dans le jardin, Ingeborg, armée d'un sécateur, taillait les broussailles. Sophie sarclait. Frieda cueillait des fleurs.

– Oui, dit l'inspecteur en soupirant. C'est comme ça, en France, la traite des blanches. On les emploie à biner dans les jardins.

Insoucieux du sarcasme, Rudolf et Carl avaient déjà bondi. Il y eut cinq minutes d'exclamations. Les cinq minutes passées, du brouhaha émergea cette précision accablante : depuis vingt-quatre heures, Raymond connaissait le nom de l'hôtel, savait où étaient les valises et il n'avait rien dit.

– Rien! Pas un mot!

– Mon nouveau tailleur!

– Hier soir encore, il nous a assuré qu'il n'y avait pas de nouvelles.

– Mais pourquoi?

– Alors que nous le dérangeons ici...

– Il avait l'air si gentil.

– Voulait-il voler les valises?

– Mais non puisqu'il a recommandé à l'hôtel de les garder...

– C'est louche, disait Carl. En tout cas, c'est louche. Il faut filer. Rapidement.

– Non, dit Sophie.

Jusque-là, elle n'avait rien dit. On se tourna vers elle.

– Non, dit-elle. S'il a fait cela, c'est qu'il avait une raison. Il nous l'expliquera. Il faut l'attendre.

– Cependant..., commença Carl.

– Ou alors je l'attendrai toute seule, dit Sophie fermement.

L'inspecteur, encore une fois, se passa l'index le long du nez.

– Voyons. Procédons par ordre.

Il s'avança, prit Rudolf par le bras, le poussa vers Ingeborg, puis il recula, les deux mains devant lui, comme un photographe. Debout, l'un devant l'autre, un cerisier souffreteux derrière eux, Rudolf et Ingeborg avaient l'air de deux fiancés.

– Joli couple, dit l'inspecteur.

Ingeborg rougit. L'inspecteur prit alors Frieda, la fit s'approcher de Carl.

– Joli couple aussi.

Frieda ne rougit pas. L'inspecteur regarda alors Sophie, hocha la tête et, s'adressant au vieux chauffeur :

– Espérons que votre ami a choisi la troisième, dit-il. Sinon...

– Le voici, dit Sophie.

Un taxi arrivait. Raymond en descendit. En voyant l'inspecteur, il s'arrêta. Mais Sophie déjà courait vers lui. Elle riait. Raymond avait baissé la tête. Puis il eut un regard en dessous vers Sophie et il sourit.

– Venez, dit l'inspecteur au vieux chauffeur. On nous a assez vus.